Cuatro corazones con freno y marcha atrás

Aula de Literatura

DIRECTOR

Francisco Antón

ASESORES

Manuel Otero

Agustín S. Aguilar

Cuatro corazones con freno y marcha atrás

Enrique Jardiel Poncela

Introducción y notas
María José Conde
Miguel Tristán

Actividades
Miguel Tristán
Plácida Navarro
María Dolores Fernández
Ignasi Roda

Ilustración
Francisco Solé

Aula de Literatura **Y** Vicens Vives

Primera edición, 1992
Reimpresiones, 1993, 1994, 1995, 1995
1996, 1996, 1997, 1998, 1999, 2000, 2000
2001, 2003, 2003, 2004, 2004, 2005
Segunda edición, 2006
Reimpresiones, 2006, 2007, 2008, 2008, 2009, 2010, 2011
2012, 2013, 2014, 2014, 2015, 2016, 2017, 2018, 2020, 2020, 2021
Decimonovena reimpresión, 2021

DL B 18.431-2011
ISBN: 978-84-316-8189-0
Nº de Orden V.V.: QE07

ÍNDICE

Introducción

Cuatro corazones con freno y marcha atrás

Actividades

ENRIQUE JARDIEL PONCELA (1901-1952)

INTRODUCCIÓN

La eterna juventud de una obra cómica

Cuando en mayo de 1936 se estrenó *Cuatro corazones con freno y marcha atrás*, la comedia obtuvo un éxito resonante, con lo que Enrique Jardiel Poncela consiguió uno de los escasos triunfos indiscutibles de su polémica carrera de dramaturgo, tan discutida a menudo por la crítica. La insólita peripecia de los personajes de la obra, embarcados en la aventura de la inmortalidad, así como su tono humorístico y su atmósfera fantasiosa, le proporcionaron al público una excelente oportunidad para la evasión en un momento en que España vivía un clima de inquietante agitación política. Sin embargo, *Cuatro corazones con freno y marcha atrás* no triunfó tan solo por la influencia de esa particular coyuntura histórica, pues de ser así no habría seguido cautivando a los lectores y espectadores durante décadas. De hecho, la comedia todavía hoy conserva intactos todos sus atractivos, lo que confirma la intemporalidad del genio humorístico de Jardiel Poncela y su enorme destreza y talento para enhebrar situaciones cómicas inverosímiles, así como para cautivar el interés del espectador a través del misterio y la intriga. Parece como si la obra, a imitación de lo que les sucede a sus protagonistas, poseyera el don de la eterna juventud, pues se ha erigido en un clásico indiscutible de la comedia española contemporánea.

El autor y su obra

Entre la risa y la amargura

Enrique Jardiel Poncela nació en Madrid en 1901 en el seno de una familia de clase media. Su vocación literaria fue muy temprana, y se tradujo durante su adolescencia en la composición de versos y de alguna comedia en colaboración con otros jóvenes. Como su padre era periodista, Jardiel comenzó a frecuentar las redacciones de los diarios, en los que publicó sus primeros trabajos mientras estudiaba Filosofía y Letras, una carrera que acabaría por abandonar. Es probable que el contacto con los ambientes periodísticos contribuyera a la formación de su singular personalidad: mordaz, irónica y con un regusto amargo.

Tras dedicarse durante algún tiempo a publicar crónicas de sucesos y cuentos policíacos en los diarios, Jardiel reorientó su carrera literaria hacia lo humorístico, que tan bien sintonizaba con su natural lúdico: no en vano él mismo se definía como un hombre «adelantado de chispa». El año 1926 fue clave en esa transición: Jardiel explica que en aquel momento tuvo «la certidumbre de que todo cuanto llevaba escrito era lamentable y mugriento. Ya me repugnaba lo dramático. Y ya adoraba lo cómico, pero de cierto modo». En consecuencia, destruyó toda su obra anterior (las «novelas putrefactas» y los «versos presidiables») y empezó a cultivar el humorismo. En ese sentido, fue decisiva su colaboración con dos importantes publicaciones cómicas: *Buen Humor* y *Gutiérrez*. En esas revistas aparecían obras de otros renovadores del humor, como Miguel Mihura, «Tono», Edgar Neville y José López Rubio, quienes, al igual que Jardiel, ofrecían una visión imaginativa de la vida por medio del tratamiento jocoso de temas graves, lo que generaba en el lector una sensación de incoherencia que movía a la risa. En esa época, Jardiel escribió relatos cómicos como *Venancio Rufilanchas, el héroe de Rabat-El-Gazar*, *El crimen del tren corto de Guadalajara* o *Ingenuidad y perversión parisinas*, obra que el autor definió como «folletín cómico-dramático con un crimen

Portadas de «Buen Humor» y «Gutiérrez». En varias entregas de esta última revista se publicó, en 1932, el primer acto de «Cuatro corazones con freno y marcha atrás».

delicioso; treinta y ocho asesinatos y medio, todos ellos perfectos, y un ladrón romántico y una señorita, más romántica todavía, que miente más que habla».

Gómez de la Serna y las vanguardias

Sin embargo, el humor en la obra de Jardiel habría carecido de auténtica altura literaria si el escritor no hubiese contado con la inspiración de **Ramón Gómez de la Serna**, el más destacado seguidor que tuvieron en España las vanguardias, conjunto de movimientos artísticos que se sucedieron en Europa a partir de 1908 y que intentaron acabar con el realismo decimonónico por medio de un arte y una literatura que incorporase lo intrascendente, lo irracional y lo subconsciente. Jardiel conoció a Ramón en 1922, y enseguida comenzó a frecuentar su tertulia del café Pombo y a considerarlo como a su verdadero maestro. El dramaturgo madrileño imitó a Ramón en su concepción lúdica de la literatura, su desdén por las convenciones burgue-

De 1915 a 1936, Gómez de la Serna ejerció una notable influencia literaria desde su tertulia del Café Pombo, inmortalizada en este famoso cuadro de Gutiérrez Solana.

sas, la consideración del humor como pieza clave de la literatura moderna y la utilización de un lenguaje chispeante, metafórico e imaginativo que rompía claramente con la tradición literaria previa. «Sin Ramón», llegó a escribir, «muchos de nosotros no seríamos nada».

La carrera dramática de Jardiel empezó a consolidarse en 1927, fecha en que estrenó la comedia *Una noche de primavera sin sueño*. En aquel momento, el teatro cómico español vivía una clara situación de decadencia. Sus dos figuras más destacadas eran **Carlos Arniches** y **Pedro Muñoz Seca**. Arniches estrenaba tragicomedias y sainetes de calidad aceptable, mientras que Muñoz Seca triunfaba con sus «astracanes», breves obras de argumento disparatado que abundaban en juegos de palabras. El resto de los autores de comedias se limitaba a remedar con escasa destreza a Arniches y Muñoz Seca echando mano de un humor fácil basado en chistes toscos y argumentos manidos. «Cuando yo empecé», escribió Jardiel, «el teatro cómico consistía en hacer chistes con los apellidos y aquello se moría. Yo decidí cambiar por completo la línea mediante la posible novedad de los temas, peculiaridad en el diálogo, supresión de antecedentes, novedad en las situaciones, enfoques y desarrollos». El objetivo de Jardiel era dignificar «lo cómico haciéndole penetrar en la órbita de lo humorístico, al ser el humor no un aspecto de la literatura sino una singularidad del espíritu». Y, más en general, pretendía ennoblecer el género dramático en una época en que el teatro español estaba «dominado por el interés económico y la ignorancia cultural».

Un teatro humorístico innovador y comercial

Para llevar a cabo esa renovación, Jardiel decidió crear una dramaturgia de humor que recurriera a lo **inverosímil**. En su opinión, el teatro no debía representar las cosas vulgares que le ocurren a todo el mundo, sino «lo extraordinario, lo imposible, lo que a ninguno le ha ocurrido ni podrá ocurrirle nunca». Tal fue la pauta que siguieron las cuarenta y ocho obras teatrales que escribió a partir de 1926, en las que, según Gómez de la Serna, «Jardiel hizo lo mejor que se puede hacer con el teatro: trastornarlo, ensayar ausencias y presencias removiendo su gran azar». Sin embargo, la apuesta de Jardiel no tuvo el reconocimiento que el autor esperaba. Los empresarios recelaron de sus comedias, algunas de sus obras fueron abucheadas por el público y la práctica totalidad de los críticos juzgó el teatro de Jardiel con gran severidad, pues no reconoció su carácter profundamente innovador. Claro que, en cumplida venganza, Jardiel dedicó muchas páginas a denigrar la profesión de crítico teatral y, en vísperas de uno de sus estrenos, se permitió el desahogo de colocar una butaca de espaldas al escenario, dedicada ex profeso al «crítico X», quien, «de todas maneras, no iba a entender la obra».

En esta fotografía de los años treinta, aparece Jardiel sentado (a la izquierda) junto a la actriz Pepita Meliá y al actor Benito Cebrián.

Jardiel escribió su obra dramática moviéndose entre el afán de romper con el teatro cómico precedente y el miedo a fracasar. Buscaba la originalidad, pero temía que un exceso de novedades pudiera provocar el rechazo de los espectadores de su época, que tenían unos gustos estéticos muy conservadores. «Lo original», escribió Jardiel con pesimismo, «repugna a los públicos. Una comedia jamás gusta por ser original, sino a pesar de ser original». En consecuencia, no siempre arriesgó tanto como habría deseado, y es posible que esa prudencia le impidiera desempeñar un papel más decisivo en la evolución del teatro español contemporáneo. Si Jardiel se hubiera olvidado por completo del deseo de ser comercial y hubiese tenido una mayor voluntad de trascendencia, su obra habría alcanzado una altura mayor. Es posible incluso que se hubiera convertido en un buen representante del llamado teatro del absurdo, cuyos cultivadores conjugan lo incoherente con lo cómico para poner de

A la izquierda, cubierta de «Eloísa está debajo de un almendro» (Vicens Vives), la obra maestra de Jardiel. A la derecha, caricatura del dramaturgo, por Ugalde.

manifiesto una verdad profunda: el sinsentido de la vida humana. Sin embargo, Jardiel no voló tan alto, y se conformó con escribir un teatro evasivo que parte de la crítica ha tachado de banal.

Gracias a su mesura en la innovación, sin embargo, Jardiel logró que algunas de sus obras fueran muy bien acogidas por el público. *Eloísa está debajo de un almendro* y *Un marido de ida y vuelta*, en concreto, le proporcionaron mucho dinero, que Jardiel gastó con esplendidez en fiestas, coches, viajes y visitas a los casinos de Monte Carlo y San Sebastián. Su momento de mayor reconocimiento le llegó en la década de 1930, cuando fue contratado en Hollywood como guionista de películas en lengua española, oportunidad que aprovechó para realizar la primera película en verso de la historia del cine. Además, Jardiel inventó los llamados «celuloides cómicos», películas mudas sobre las que unos actores realizaban comentarios humorísticos. Tales

Escena del prólogo de «Eloísa está debajo de un almendro». Representación de la obra llevada a cabo en el Teatro Español de Madrid en 2001.

experiencias profesionales influyeron notablemente en su teatro, pues determinaron su concepción cinematográfica de la escena, ágil y vivaz.

El desencanto de los últimos años

En lo personal, la vida de Jardiel quedó marcada por los vaivenes emocionales y por un profundo escepticismo. Desde siempre, había soñado con encontrar el amor ideal, pero no lo consiguió, desdicha de la que culpó en alguna ocasión a su escaso atractivo físico, pues él mismo se describió como un hombre «tremendamente feo y diminuto de estatura». La mujer ideal que buscaba debía tener «un cien por cien de belleza, un cien por cien de inteligencia y un cien por cien de sexualidad». Este último rasgo le parecía muy importante, pues el dramaturgo definió su propio temperamento con las siguientes palabras: «SEXO+SEXO+SEXO». Y es que Jardiel consideraba que la pasión era tanto o más gratificante que el sentimiento amoroso, como puso de manifiesto al escribir que «la lujuria tiene con frecuencia toda la grandeza que con frecuencia le falta al amor». No ha de extrañar, pues, que convirtiese su vida en una auténtica sucesión de idilios pasajeros. Sus amores le dejaron, sin embargo, algo perdurable: dos hijas reconocidas. Cada una de ellas era de una madre distinta: Evangelina, que creció y se educó con el propio Jardiel, y Mari Luz.

Durante los últimos años de su vida, el escepticismo natural de Jardiel acabó por convertirse en amargura. A la tristeza de no haber encontrado el amor perfecto y de sentirse incomprendido como autor dramático se sumó un grave problema de salud: cuando contaba poco más de cuarenta años, Jardiel contrajo un cáncer de laringe. La enfermedad le impidió trabajar, y el dramaturgo, que había sido millonario, acabó en la ruina y sin más compañía que la de su adorada hija Evangelina. Andaba tan deprimido que se dice que se dejó morir, pues no permitió que los médicos, de los que tanto desconfiaba, trataran su enfermedad como convenía. Al parecer, en sus últimos días barajó incluso la posibilidad de suicidarse, pues bajo su almohada guardaba un revólver que le ayudaba a ahuyentar el pánico. Al fin, tras largo padecimiento, Jardiel murió en 1952, con lo que quedó truncada para siempre su prolífica carrera. En su tumba mandó grabar un doloroso y cínico epitafio: «Si queréis los mayores elogios, moríos».

Cuatro corazones con freno y marcha atrás

La aventura de la inmortalidad

Cuatro corazones con freno y marcha atrás se estrenó en 1936 en el teatro Infanta Isabel de Madrid con el título de *Morirse es un error*, que Jardiel cambiaría dos años más tarde. Como ya se ha dicho, la obra obtuvo un gran éxito de público, pero también de crítica, motivo por el que constituyó una gozosa excepción en la carrera dramática de Jardiel. Esta comedia describía los avatares de dos parejas de enamorados que debían afrontar una serie de problemas económicos y amorosos y que lograban solucionarlos gracias a un invento que les proporcionaba una vida eterna. Jardiel abordaba así un tema que ha atraído a los literatos desde muy antiguo, el de la inmortalidad. Ahora bien, lo trató sin demasiadas ambiciones intelectuales, pues lo que se proponía era escribir una comedia entretenida y no un tratado de metafísica. En lugar de prestar atención a las derivaciones filosóficas del tema, Jardiel se preocupó sobre todo por sus consecuencias materiales y cotidianas. Le sacó punta, por ejemplo, a un manido interrogante: ¿puede un burgués vivir eternamente de su patrimonio si no es infinitamente rico?

Pese a abordar el asunto de la inmortalidad en tono cómico, Jardiel se preocupó de poner en escena las repercusiones negativas que tendría la vida eterna en la estabilidad emocional del individuo. Lo que viene a decirnos en *Cuatro corazones* es que la mente humana no está preparada para asimilar la inmortalidad, de ahí que cuatro de los protagonistas de la comedia acaben abocados a un profundo desánimo y lleguen incluso a pensar en el suicidio. Y es que, como dice el personaje de Ricardo, «se ama la vida porque se sabe que va a concluir, pero cuando se sabe que no va a concluir, se la odia». En definitiva, la obra da a entender que el ser humano solo puede encontrar la felicidad en un mundo que le depare sorpresas y esperanzas de renovación. Por el contrario, cuando todo está previsto, uno acaba dominado por el tedio y la amargura.

La visión pesimista que Jardiel ofrece de la inmortalidad tiene algunos precedentes literarios. Entre ellos se cuenta cierto pasaje de los *Viajes de Gulliver* (1716) que es probable que Jardiel tuviera en cuenta a la hora de escribir su comedia, dada la afición que sintió siempre por las novelas de fantasía y aventuras. En el capítulo X de la tercera parte de la novela de Jonathan Swift, Gulliver conoce a los struldbrugs, curiosos seres que nacen con un lunar rojo en la frente y que gozan del privilegio de la inmortalidad. Impresionado por el prodigio de la vida eter-

Los struldbrugos son inmortales pero padecen una trágica degeneración física y mental. Ilustración de C. Riddell para una adaptación de «Los viajes de Gulliver» (Vicens Vives).

na, Gulliver comienza a fantasear sobre lo maravilloso que resultaría ser inmortal: le permitiría, por ejemplo, llegar a rico, pues le bastaría con ahorrar durante doscientos años para reunir un considerable patrimonio. Además, gracias a la inmortalidad, podría convertirse en un hombre sapientísimo, pues es obvio que una persona que vive varios siglos acaba por adquirir una experiencia que no está al alcance del común de los mortales. El optimismo de Gulliver, sin embargo, acaba por desmoronarse cuando descubre que los struldbrugos no llevan una vida placentera, sino todo lo contrario. Y es que, aunque son inmortales, no gozan de una juventud y salud eternas, sino que envejecen sin cesar, de ahí que acaben por convertirse en una especie de cadáveres andantes cargados de achaques. Lejos de mostrarse felices, los struldbrugos sufren una profunda tristeza,

Escena del primer acto de «Cuatro corazones con freno y marcha atrás», en una representación de la obra llevada a cabo en 1987 y dirigida por Gustavo Pérez Puig.

no albergan esperanzas, carecen de interés por las cosas y viven asqueados por la perspectiva de tener que repetir sus rutinas indefinidamente. Es decir, que aborrecen la vida y ansían la muerte, lo mismo que acaba por sucederles a Ricardo, Valentina, Hortensia y Bremón en *Cuatro corazones con freno y marcha atrás.*

Jardiel tampoco se olvidó de señalar las consecuencias negativas que el don de la inmortalidad tendría en la **vida amorosa** de las personas. En el primer acto de *Cuatro corazones*, las dos parejas protagonistas de la comedia parecen felices ante la perspectiva de vivir indefinidamente junto a la persona a la que aman. Sin embargo, la inmortalidad convierte su vida sentimental en una larga rutina. Como dice Ricardo en el acto segundo, cuando se tiene «casi un siglo en el alma», amar se convierte en «una cosa grotesca». Y es que Jardiel identifica la dicha del amor con la juventud: como dice el doctor Bremón, la felicidad radica sobre todo «en las pasiones», que son propias de los

Figurines diseñados para el doctor Bremón (izquierda) y Emiliano (derecha), y desti-nados a una puesta en escena de la comedia llevada a cabo en 1967.

jóvenes. Por otro lado, en la obra se sugiere que el amor solo re-sulta verdaderamente intenso cuando somos conscientes de su precariedad. En cierto pasaje, el doctor Bremón llega a afirmar que el individuo solo siente deseo cuando hay un obstáculo que le dificulta la relación con la persona amada. Por eso la muer-te, que es el mayor obstáculo imaginable, constituye un excelen-te incentivo del amor, mientras que la inmortalidad lo marchi-ta. Dicho con otros términos: el amor resulta más estimulan-te cuanto más imprevisible, lo mismo que sucede con la vida en general.

Entre la tradición y la originalidad

Según su costumbre, Jardiel escribió *Cuatro corazones con fre-no y marcha atrás* tratando de equilibrar las convenciones del teatro de su tiempo y su propia voluntad de innovación. En la obra aparecen **situaciones**, **personajes** y **recursos** que eran **tó-**

picos en la comedia comercial de los años 30, como los chistes chuscos del cartero Emiliano, que se parecen mucho a los que utilizaban los imitadores de Muñoz Seca. También eran tópicas la situación del señorito arruinado que soluciona sus problemas al recibir una herencia, que es lo que le sucede a Ricardo en *Cuatro corazones*, o el arquetipo del científico que utiliza su saber para crear inventos extravagantes, al que responde el doctor Bremón. Ahora bien, Jardiel supo darles a esos tópicos el giro inesperado de lo **inverosímil**: la herencia que recibe Ricardo, por ejemplo, está sometida a unas condiciones absurdas, pues su beneficiario solo podrá cobrarla cuando tenga noventa y dos años. Otro caso tópico del que echa mano Jardiel es el de la dama que, por culpa de la reaparición de un hombre al que amó en otro tiempo, ve obstaculizada su felicidad amorosa, que es lo que le sucede a Hortensia en el acto segundo de la obra. Sin embargo, Jardiel le da un vuelco al tópico con una hilarante solución fantástica: convierte al anciano esposo en un bebé afectado de tos ferina haciéndole ingerir una pócima de maravillosos efectos.

Para darle un sesgo novedoso a su comedia, Jardiel no solo se valió de lo inverosímil sino también de ciertos elementos propios de la **novela de aventuras**. En el segundo acto de *Cuatro corazones con freno y marcha atrás*, los personajes viven en una isla desierta situada a orillas del océano Pacífico. En los años 30, la elección de ese exótico marco natural constituía toda una extravagancia, pues lo usual era que las comedias se situaran en un contexto urbano, y casi siempre en los interiores de un hogar burgués. Al trasladar la acción a una isla, Jardiel propició además la intervención de algunos personajes nada habituales en las comedias de su época, como cierto salvaje al que las barbas le llegan hasta el suelo y el explorador Oliver Meighan, que parece sacado de una de las películas de aventuras que los norteamericanos filmaban en los años 30. No obstante, el referente más claro de los sucesos que acaecen en la isla es la famosa novela ***Robinson Crusoe***, que Jardiel parodia a través del persona-

José Sazatornil interpretó a Emiliano en esta representación de la obra de 1987.

je de Emiliano, empeñado en llevar la misma vida pedestre que Robinson a pesar de que tiene a su alcance las comodidades propias del mundo civilizado. Emiliano cuenta, por ejemplo, con una caja de cerillas, pero se esfuerza en encender fuego frotando entre sí dos maderas. Por otro lado, durante su estancia en la isla, que supuestamente está deshabitada, el cartero encuentra sobre la arena la huella de un pie humano, situación que imita en tono cómico un conocido pasaje de *Robinson Crusoe*, lo que nos revela que, entre las múltiples estrategias del humor que Jardiel manejó en *Cuatro corazones con freno y marcha atrás*, también se encuentra la parodia.

Los personajes

Cuatro corazones con freno y marcha atrás cuenta con veinte personajes, cuya apariencia y temperamento son descritos con detalle en las acotaciones. Cinco de ellos son los protagonistas, que propenden a la extravagancia. En la configuración de los personajes principales, Jardiel observó las leyes propias del teatro clásico español, que quedaron plasmadas en el *Arte nuevo de hacer comedias* de Lope de Vega. Igual que sucedía en las comedias del Siglo de Oro, *Cuatro corazones* está protagonizada por una pareja joven formada por un galán y su dama que gozan de atractivo físico, viven sin trabajar y pertenecen a una clase social alta. Se trata de **Ricardo** y **Valentina**, a quienes acompaña una segunda pareja formada por **Bremón** y **Hortensia**, de mayor edad y mayor potencial cómico. Hortensia es una mujer obsesionada por la poesía, que se dedica a escribir unos ripios absurdos e hilarantes, en tanto que Bremón responde al arquetipo del sabio despistado, pero lo supera gracias a su participación en una serie de episodios inverosímiles que dan pie a algunas interesantes reflexiones sobre la existencia.

Sin duda la figura más característica del teatro clásico español era el «**gracioso**», agudo criado que se encargaba de hacer reír al público con sus chistes. En *Cuatro corazones*, tal función es desempeñada por el cartero **Emiliano**, quien pertenece a un extracto social humilde, carece de las aspiraciones amorosas de los otros protagonistas y desdramatiza las situaciones con sus jocosos comentarios. A primera vista, Emiliano es un personaje anclado en el cliché costumbrista, pero el arquetipo queda superado gracias a que el personaje evoluciona a lo largo de la obra: pierde progresivamente su tosquedad inicial, se integra como uno más en el conflicto que viven sus señores y acaba resultando mucho más sensato que sus amos, lo que, pese a ser un rasgo típico del gracioso lopesco, constituía toda una novedad en el teatro español de los años 30.

En *Cuatro corazones* aparecen además quince personajes secundarios, auténtica legión que le permite a Jardiel una gran cantidad de entradas y salidas, lo que le proporciona a la obra un ritmo vivaz consecuente con su tono disparatado. Cinco de esos personajes secundarios pertenecen al **grupo familiar** próximo a las parejas protagonistas: se trata de Heliodoro, Elisa, Federico, Margarita y Fernando. El resto son una nube de criados y dos metódicos y aburridos **agentes de seguros** que se apellidan

Bocetos del vestuario de Emiliano y Valentina para el segundo acto de la obra.

Corujedo. La principal función de estos personajes secundarios, que enfocan la realidad desde una perspectiva racionalista, consiste en mostrar su estupefacción ante los sucesos extraordinarios que les suceden a los protagonistas, y es su incapacidad para asimilar esos hechos ilógicos lo que nos mueve a la risa.

Tres actos, tres estrategias

A primera vista, *Cuatro corazones* tiene la estructura propia de un drama clásico, pues consta de tres actos. Cada uno de ellos tiene unidad argumental y posee su propio contexto espacial y temporal: el primero transcurre en Madrid en 1860, el segundo en una isla del Pacífico en 1920 y el tercero de nuevo en Madrid, pero en 1935. Además, cada acto desarrolla unas estrategias dramáticas distintas. El **acto I** está construido sobre un recurso cómico muy empleado en el teatro de humor, que consiste en abrumar al público con una sucesión de desconcertantes entradas y salidas y un cúmulo de enigmáticas informaciones que

mantienen en vilo nuestra atención. El **acto II** tiene un ritmo
más pausado, y resulta profundamente original por su exótica
ubicación en una isla desierta y por estar cuajado de episodios
insólitos, como el ya mencionado encuentro con un anciano
salvaje al que se creía muerto y que acaba transformado en un
bebé... Sin embargo, es el **acto III** el que desarrolla las situaciones más ingeniosas, pues muestra los absurdos generados por la
extravagante progresión vital de Ricardo y Valentina. Merced a
una fórmula inventada por Bremón, las dos parejas protagonistas han rejuvenecido hasta convertirse en poco más que cuatro
adolescentes, lo que desbarata todos los esquemas de lo cotidiano y genera un sinfín de situaciones disparatadas, como que un
joven se enamore de la abuela de su mujer o que un padre que
aparenta diecisiete años amoneste a un hijo suyo que roza la vejez. Es decir, que Jardiel se recrea en los efectos humorísticos generados por un mundo al revés en el que unos pocos individuos
evolucionan en sentido inverso al resto de la humanidad.

Un lenguaje chispeante

El potencial cómico de *Cuatro corazones con freno y marcha
atrás* no deriva tan solo de las situaciones inverosímiles que
plantea la obra, sino de la explotación exhaustiva de las posibilidades humorísticas del lenguaje. Jardiel echa mano de chistes verbales basados en repeticiones, equívocos, exageraciones y
juegos de palabras, así como de comparaciones y metáforas ins-
piradas en las greguerías de Gómez de la Serna, de las que encontramos buenos ejemplos cuando se dice que Bremón es «tan
puntual como un eclipse» o cuando se afirma que la medicina
es «el arte de acompañar con palabras griegas al sepulcro». Sin
embargo, cuando Jardiel resulta verdaderamente moderno en
el uso de las formas cómicas es cuando recurre a un tipo de humor intelectual basado en la subversión de la lógica. Así sucede,
por ejemplo, cuando Corujedo dice «Me llamo Elías Corujedo»,
y Emiliano responde «Hace usted bien». Por supuesto, ese hu-

Bocetos del vestuario de Hortensia para el primer acto y de Heliodoro para el segundo.

mor absurdo, que enlaza *Cuatro corazones* con el teatro de vanguardia, fue el menos celebrado por el público de la década de 1930, acostumbrado a chistes mucho más fáciles basados en previsibles juegos de palabras.

La estética de lo inverosímil en el uso del espacio escénico

Como sucede con los otros elementos de la obra, también la escenografía de *Cuatro corazones con freno y marcha atrás* revela un intento de equilibrar tradición y originalidad. Las prolijas acotaciones, que ofrecen todo tipo de detalles sobre los decorados, responden a la escenografía figurativa propia del teatro realista. Sin embargo, la puesta en escena prevista por Jardiel contiene también algunas novedades, como el empleo de localizaciones externas, que imitan un espacio al aire libre, lo que era rarísimo en el teatro de humor. Además, podemos decir que Jardiel aplicó su estética de lo inverosímil también a la escenografía al asociar en una misma obra decorados que, en principio, carecían de todo nexo lógico, como una mansión madrileña decimonónica y un paraje deshabitado del Pacífico. Por otro lado, el progresivo rejuvenecimiento de los personajes, manifiesto en su forma de peinarse y vestirse, junto a elementos de *atrezzo* tan insólitos como la panoplia del acto tercero (formada por un traje de pieles, varios *boumerangs* y unas sandalias, entre otros objetos) contribuyen a transmitirnos la impresión de lo disparatado e inconexo, tan característica de la estética de lo inverosímil por la que abogó Jardiel.

Cuatro corazones con freno y marcha atrás

PERSONAJES

VALENTINA	RICARDO
HORTENSIA	BIENVENIDO CORUJEDO
ELISA	ELÍAS CORUJEDO
MARGARITA	FEDERICO
DOÑA LUISA	FERNANDO
ADELA	OLIVER MEIGHAN
FLORENCIA	JOSÉ
CATALINA	HELIODORO
MARÍA	HELIODORITO
JUANA	MARINERO 1.º
EMILIANO	MARINERO 2.º
EL DOCTOR BREMÓN	

La acción del primer acto, en Madrid, en 1860.
La del segundo, en 1920, en una isla desierta
del océano Pacífico.
La del tercero, en Madrid, en 1935.

ACTO PRIMERO

Una sala de recibir en casa de Ricardo. Puerta al foro,[1] que simula conducir a un pasillo y a la entrada de la casa. Otras dos puertas en el último término de la derecha y en el primer término de la izquierda, respectivamente, que llevan a otras habitaciones interiores. Las tres puertas son de dos batientes,[2] con soportes de metal dorado. Según se ha dicho, la acción de este acto transcurre en la segunda mitad del siglo XIX, mediado el año 1860, y, por lo tanto, el decorado y el atrezzo[3] están en absoluto acuerdo con la época. Las puertas se hallan provistas de amplios y pesados cortinones, que se recogen a los lados con pliegues. Las paredes, de papel rameado con baquetillas de madera,[4] aparecen pródigamente[5] adornadas con cuadros al óleo y

---

1 *foro*: fondo del escenario.

2 *puerta de dos batientes*: puerta de dos hojas.

3 *atrezzo*: conjunto de muebles y otros objetos que componen la decoración de un escenario.

4 *rameado*: que tiene dibujos de ramos; *baquetilla*: pequeña moldura de madera que sobresale de una pared decorada, a manera de adorno.

5 *pródigamente*: con abundancia.

grandes platos de escayola, en el fondo de los cuales se han pintado marinas,[6] puestas de sol y frutas o flores. Todos los muebles, susceptibles de soportar encima algún objeto, rebosan de bibelots[7] y de figuritas de porcelana atrozmente artísticas. Grandes consolas sostienen candelabros con velas y quinqués[8] de petróleo y entre ellos se alzan fanales[9] de cristal, en cuyo interior reposan barquitos y toda suerte de trabajos hechos con conchas, corales y perlas falsas. Fotografías de familia. Pendiente del techo, una gran lámpara con luces de gas o petróleo. En los rincones, maceteros que sostienen tiestos de plantas artificiales y flores de trapo. El suelo es de ladrillos rojos y blancos, tapado a trechos por alfombras de nudo, hechas a mano.

Presidiendo la escena, una imagen religiosa delante de la cual arde una lamparilla de aceite, iluminándola.

Sillones y sofás de peluche[10] de color y madera negra, confidentes, vis-à-vis,[11] sillas curvadas y veladores.

Colgando junto a la puerta del foro, cordón de una campanilla. Son las siete de la tarde de un día de primavera. La puerta del foro está abierta y las otras dos cerradas. Al levantarse el telón, en escena, EMILIANO. Emiliano es un individuo de unos cuarenta años, cartero de profesión, en pleno ejercicio de su cargo. Viste el uniforme de los carteros de la época y lleva una gruesa cartera colgada al hombro. Su actitud es la de un hombre es-

---

6 *marina*: cuadro que representa el mar.

7 *bibelot*: figura decorativa de escaso valor artístico para colocar sobre un mueble.

8 *quinqué*: 'lámpara de mesa que funciona con petróleo y consta de un tubo de cristal que resguarda la llama'. Fue la forma de iluminación habitual en las casas durante el siglo XIX.

9 *fanal*: 'campana de cristal decorativa'; en su interior se colocan a veces pequeñas chucherías de decoración.

10 *peluche*: o *felpa*, tejido con pelo largo.

11 *confidente*: 'sofá de dos asientos', muy característico de la decoración del siglo XIX; *vis-à-vis*: sofá de dos sillones dispuestos en forma de *ese* en el que los ocupantes quedan sentados frente a frente.

tupefacto e intrigado, porque conviene advertir que ha entrado hace mucho tiempo en aquella casa a entregar una carta certificada y no ha conseguido que le atienda nadie, que nadie le firme el recibo y que nadie se ocupe de él. Emiliano se halla sentado en una silla, consternado[12] y sin saber qué pensar de lo que sucede.

EMPIEZA LA ACCIÓN

Un reloj que hay sobre un mueble da siete campanadas.

EMILIANO. Las siete de la tarde y entré aquí a las doce y media... Hoy es cuando me echan a mí del noble Cuerpo de Carteros, Peatones[13] y Similares, recientemente constituido. Pierdo el empleo como mi abuelo perdió el pelo y mi padre perdió a mi abuelo. Pero yo no me voy de aquí sin que me firmen el certificado y sin enterarme de lo que ocurre en esta casa. *(Dentro, en la derecha, se oyen unos ayes lastimeros.* EMILIANO *se levanta sin querer, sobresaltado, y enseguida vuelve a sentarse.)* Otra vez los ayes... Seis horas y media de ayes. He llegado a pensar si estarán asesinando a alguien; pero o son asesinos muy torpes o no me explico cómo se puede tardar seis horas y media en asesinar a nadie. A no ser que estén asesinando a un orfeón...[14] Por otro lado, la casa parece muy honorable, y, al mismo tiempo, esto de que sus habitantes no me hagan caso... *(Por la izquierda sale* CATALINA, *que es una doncella de servicio de la casa.* EMILIANO *se levanta con ánimo de hablarle y de que le atienda.)* Joven... Pchs... Joven... *(*CATALINA *cruza la escena sin hacerle caso, hablando sola, preocupadísima.)*

CATALINA. ¡Válgame Dios!... ¡Válgame Dios!... ¡Válgame la Santísima Virgen!...

---

12 *consternado:* muy apenado y abatido.
13 *peatón:* correo de a pie encargado de llevar la correspondencia entre pueblos cercanos.
14 *orfeón:* coro, agrupación de cantantes.

EMILIANO. ¿Me hace usted el favor, joven, que estoy aquí desde las doce y media porque traigo un certificado para don Ricardo Cifuentes…? (CATALINA *ni le mira siquiera.*)

CATALINA. ¡Válgame el Redentor!… (CATALINA *se va por el foro, como si* EMILIANO *no existiera en el mundo.* EMILIANO *queda en la puerta del foro con la palabra en la boca. Por la derecha sale entonces* ADELA, *una muchacha de unos veinticinco años, muy bonita; lleva traje de calle y la capotita*[15] *puesta. Está tan preocupada como* CATALINA, *y se va en dirección a la izquierda, hablando sola también.* EMILIANO, *cuando la ve, intenta naturalmente entablar el diálogo.*)

EMILIANO. Tenga la bondad, señorita, que estoy aquí desde las doce y media, porque traigo un certificado para don Ricardo Cifuentes…

ADELA. ¡Dios mío de mi alma!… ¡Dios mío de mi corazón!… (*Han llegado a la izquierda, y* ADELA *hace mutis*[16] *por aquel lado, sin atender a* EMILIANO, *y dándole materialmente con la puerta en las narices. Entonces, por el foro, vuelve a salir* CATALINA, *esta vez en dirección a la derecha.* EMILIANO *echa a correr hacia ella.*)

EMILIANO. Joven… Joven… Joven… Pchs… Oiga, joven… (CATALINA *se va por la derecha, cerrando la puerta tras sí. En el mismo instante, por la izquierda sale nuevamente* ADELA, *en compañía de* DOÑA LUISA, *que es un ama de llaves de unos cincuenta años, hablando entre sí, siempre muy preocupadas, y en dirección a la derecha.* EMILIANO *se lanza en el acto a abordarlas con la misma falta de éxito de siempre.*)

LUISA. Todo, señorita Adela, todo… Hemos hecho todo lo que se podía hacer…

EMILIANO. Señoras… ¿Tienen la bondad, señoras?… (*Las sigue.*)

---

15 *capota*: capa corta.
16 *hacer mutis*: salir un actor de la escena.

ADELA. ¿Y avisaron a la señorita Valentina? ¿Y a doña Hortensia? *(Andan rápidamente hacia la derecha.)*

LUISA. Sí. Ha ido José en el coche. Ya no pueden tardar.

EMILIANO. *(Andando, como siempre, al lado de ellas.)* Señoras, hagan el favor, que estoy aquí desde las doce y media, porque traigo… *(Han llegado los tres a la derecha, y* ADELA *y* DOÑA LUISA *se van hablando entre sí, sin contestar a* EMILIANO.*)* Nada, no hay manera. *(Por el foro, procedente de la calle, entra* MARÍA, *otra doncella del servicio de la casa, cargada de paquetes, jadeando por una larga carrera y más preocupada, si cabe, que los demás.* EMILIANO *se esperanza al verla.)* ¡Hombre, la que me abrió la puerta esta mañana! *(Va hacia ella.)* Joven…

MARÍA. *(Que iba hacia la derecha, deteniéndose.)* ¡Hola, buenas! ¡Loca vengo!… ¡Sin respiración vengo!… ¡Sin saber por dónde piso vengo!…

EMILIANO. *(Hablando para sí.)* Esta se va a explicar.

MARÍA. ¡Vaya un día!… ¡Menudo día!… ¡Dios mío, qué día!

EMILIANO. Mal día, ¿eh?

MARÍA. ¡Uf!… ¡Qué día!… ¡¡Qué día!!… Pero, y usted, ¿qué hace aquí todo el día?

EMILIANO. Pues ya lo ve usted: pasando el día. Ni he conseguido que me firmen el certificado ni enterarme de lo que ocurre en la casa.

MARÍA. ¡Flojo es lo que ocurre en la casa!…

EMILIANO. Oiga usted, ¿y qué es lo que ocurre?

MARÍA. ¿Que qué ocurre? Mentira parece lo que ocurre. Espérese usted, que voy a ver si ha ocurrido algo más. *(Se va por la derecha, dejando en un sillón los paquetes que traía.* EMILIANO *queda inmóvil, más intrigado y fastidiado que nunca. Por el foro irrumpe* JOSÉ, *que es el cochero de la casa. Viste de uniforme y tiene unos treinta años.* JOSÉ, *como los restantes personajes, está muy preocupado y con síntomas de tener mucha prisa. Entra a dar un recado y se detiene para hablarle rápidamente.)*

José. ¡Hola, amigo! Buenas tardes.

Emiliano. *(Volviéndose.)* ¿Eh?… *(Va hacia él nuevamente, esperando por saber y por averiguar.)*

José. No puedo entretenerme; soy el cochero del señor Cifuentes, ¿sabe usted? Bueno, pues le dice usted al ama de llaves, doña Luisa, ya sabe usted quién le digo…, le dice usted que de parte de José que ya he hecho los recados que me mandó: que he avisado ya a la señorita Valentina y que ya está informada de todo doña Hortensia. Que el señor Bremón quedó en venir a las siete y media. Y que me ha dicho que lo que sucede aquí tenía que suceder, y que no es extraño que suceda. ¿Se le olvidará a usted algo?

Emiliano. A lo mejor, no; pero, oiga usted, ¿qué es lo que sucede aquí? *(José lanza un silbido ponderativo[17] e inicia el mutis. Cuando va a salir por el foro, entra el señor Corujedo, un caballero de unos cincuenta años, de aire amable y educadísimo.)*

Corujedo. ¿Se puede?

José. Sí, señor; pase usted. *(A Emiliano.)* Lo que sucede aquí… *(Silba aún más fuerte.)* ¡Ea, adiós! *(Se va por el foro.)*

Corujedo. ¿Da usted su permiso?

Emiliano. Adelante, caballero. *(Para sí.)* A ver si este está al tanto. *(A Corujedo.)* Pase usted, hágame el favor.

Corujedo. Muchas gracias.

Emiliano. Siéntese y póngase cómodo.

Corujedo. *(Sentándose.)* Es usted muy amable.

Emiliano. Con toda confianza. Está usted en su casa… El que no está en su casa soy yo, pero da igual.

Corujedo. Me llamo Elías Corujedo.

Emiliano. Hace usted bien.

Corujedo. ¿Eh?

---

17 *ponderativo*: admirativo.

EMILIANO. Y como le supongo a usted enterado de lo que ocurre aquí…

CORUJEDO. Pues verá usted: yo no tengo la menor idea de lo que puede ser.

EMILIANO. ¡Hum!…

CORUJEDO. Yo venía a ver al señor Cifuentes para proponerle un negocio, me he encontrado abierta la puerta de la escalera y he entrado. Ya había venido esta mañana, pero me ha sucedido una cosa que no la va usted a creer.

EMILIANO. ¿El qué?

CORUJEDO. Que estuve aquí cerca de media hora sin que nadie me hiciera caso.

EMILIANO. ¿Es posible?

CORUJEDO. En vista de ello he vuelto esta tarde. Soy agente de seguros de vida.

EMILIANO. ¿Y eso qué es?

CORUJEDO. Un negocio nuevo, llamado a tener un gran porvenir.

EMILIANO. ¿Y en qué consiste?

CORUJEDO. Pues consiste en que el asegurado pague una pequeña cantidad mensual a la Sociedad que le asegura, y la Sociedad, cuando el asegurado muere, le da una serie de miles a la viuda o a la familia…

EMILIANO. Lo que se discurre[18] en este siglo… Pero, oiga usted, y la gente, ¿cómo recibe esa proposición?

CORUJEDO. Al principio me oyen amablemente, pero, cuando se enteran de que para cobrar tienen que morirse, se indignan y me atizan.

EMILIANO. ¡Claro!…

CORUJEDO. La gente está muy atrasada, pero algún día el seguro de vida será una cosa corriente. Tenemos la suerte de vivir

---

18 *discurrir*: inventar.

en una época, amigo mío, que nos reserva grandes sorpresas... Me han dicho que en el extranjero han inventado un artilugio que se llama teléfono y que sirve para hablar desde una población con otra.[1]

EMILIANO. ¡Lo que tendrán que gritar!...

CORUJEDO. Y que hay países donde han empezado a usar un chisme que le dicen telégrafo, y que consiste en mandar cartas por la electricidad.[2]

EMILIANO. *(Dando un salto.)* ¡¡No!!

CORUJEDO. Sí, señor; sí.

EMILIANO. Cállese, cállese, caballero... *(Le tapa la boca.)*

CORUJEDO. ¿Eh?... ¿Pero?...

EMILIANO. Hágame el favor de callarse, que si se enteran de eso aquí en España, me quedo sin empleo. ¿No ve usted que soy cartero? En cuanto empiecen a mandar las cartas por la electricidad, sobramos nosotros. *(Dentro, en la derecha, suenan unos ayes lastimeros de RICARDO, lo mismo que al principio del acto.)*

CORUJEDO. Oiga usted, ¿qué es eso?

EMILIANO. Un misterio. En esa habitación *(Señala a la derecha.)*, por lo visto se encuentra encerrado el amo de la casa, al que de vez en cuando se le oye quejarse. *(Van a la puerta y escuchan. Entonces, dentro se oyen risas, grandes carcajadas.)*

CORUJEDO. Pero... pero ahora se ríe... Y dentro hay varias personas que hablan a un tiempo... ¿Quiénes son? *(Por el foro, mientras hablan, ha entrado JUANA, la portera de la casa, una mujer de unos cuarenta años, y que se dirige hacia CORUJEDO y EMILIANO, concluyendo la última frase de CORUJEDO.)*

---

1 El teléfono no se inventó hasta 1876, así que no podía existir en 1860, año en que transcurre la acción del primer acto de *Cuatro corazones*. Este anacronismo, naturalmente, carece de importancia en una obra de humor.

2 Jardiel vuelve a equivocarse, pues en España las primeras líneas de telégrafo se tendieron en 1856.

JUANA. La profesora de pintura…

EMILIANO. ⎫
CORUJEDO. ⎭ ¿Eh?

JUANA. Don Ricardo, las doncellas y doña Luisa, el ama de llaves…

EMILIANO. ¿Y usted?

JUANA. La portera.

EMILIANO. *(A CORUJEDO.)* ¡Uy!… Esta está enteradísima.

CORUJEDO. Seguro…

EMILIANO. Oiga usted… ¿Aquí qué ocurre?

JUANA. Si yo pudiera hablar…

EMILIANO. Por sus hijos, hable usted, señora.

JUANA. En secreto… puedo decirles que en esta casa vive don Ricardo Cifuentes.

CORUJEDO. Ya…

EMILIANO. De esto es de lo único que estábamos enterados.

JUANA. Don Ricardo es un muchacho de unos treinta años, soltero y huérfano…

CORUJEDO. ¿Profesión?

JUANA. Ninguna.

EMILIANO. La mejor profesión que se conoce.

CORUJEDO. Pero, aparte de pintar al óleo, ¿a qué se dedica don Ricardo?

JUANA. Pues don Ricardo se ha dedicado a divertirse y a quedarse sin un céntimo de la fortuna que le dejaron sus padres, y a esperar a que se muriera su tío Roberto, para heredarle y casarse con la señorita Valentina.

EMILIANO. ¿El tío Roberto es rico?

JUANA. Millonario…

EMILIANO. Y no se muere, claro.

JUANA. Se murió el jueves pasado.

EMILIANO. ⎫
CORUJEDO. ⎭ ¿Cómo?

JUANA. Que se murió el jueves pasado. Hoy debía verificarse la apertura del testamento, y sé de muy buena tinta que el tío le ha dejado íntegra su fortuna: ocho millones de reales.

EMILIANO. Entonces, lo que tiene ese hombre es que se ha vuelto loco de alegría.

JUANA. Tampoco. Porque yo he visto con mis propios ojos, también, que el señorito ha venido disgustadísimo de casa del notario. *(Por la derecha sale* MARÍA, *la doncella que entró antes con los paquetes, en la actitud de quien busca algo nerviosamente.)*

MARÍA. Los paquetes… ¿Dónde me he dejado yo los paquetes? ¡Ah! Sí. Aquí. *(Va al sillón y los coge. Los otros tres la interrogan ansiosos.)*

JUANA. ¿Qué ocurre, María?

CORUJEDO. ¿Qué?

EMILIANO. ¿Qué?

MARÍA. Que me había dejado los paquetes y el agua de azahar.[19]

EMILIANO. En la casa.

MARÍA. Claro, en ese sillón.

EMILIANO. ¿Qué ocurre en la casa?

MARÍA. Pues que se ha armado el lío que se ha armado. Entre lo de la herencia y la carta del doctor…

JUANA. ¿Pero se ha recibido una carta de un doctor?

MARÍA. Del doctor Bremón.

EMILIANO. Bueno, joven: vamos por partes. ¿Qué es lo de la herencia?

MARÍA. Pues lo de la herencia, por lo visto, es una infamia.[20]

---

19 *agua de azahar*: 'agua en la que han macerado flores de naranjo'; se emplea como calmante.

20 *infamia*: deshonra, maldad.

EMILIANO. Pero el tío Roberto le ha dejado heredero al señorito Ricardo, ¿no?

MARÍA. *(Asombrada.)* ¿Conocía usted al tío Roberto? ¿Está usted enterado del lío de la herencia? Cuente usted…, cuente usted…

EMILIANO. ¿Eh? *(Por la derecha salen* DOÑA LUISA *y* ADELA, *y* MARÍA *las llama vivamente.)*

MARÍA. ¡Doña Luisa! ¡Señorita Adela! ¡Este señor lo sabe todo!

LUISA.
ADELA. } ¿Qué?

MARÍA. Está enterado de todo al detalle.

LUISA. ¡Dios mío!… ¡Hable usted!…

ADELA. Hable usted, caballero… *(Por la derecha,* CATALINA.*)*

CATALINA. *(A* MARÍA.*)* ¿Qué dices? ¿Que ya se sabe todo?

MARÍA. Todo. Este señor nos lo va a decir.

CATALINA. ¿Y qué es? ¿Qué es lo de la herencia?

ADELA. ¿Qué quiere decir en su carta el señor Bremón?

EMILIANO. Pero, bueno, a ver, porque voy a acabar loco… ¿Todo eso me lo preguntan ustedes a mí?

LUISA.
ADELA. } Claro.
CATALINA.

MARÍA. ¿Pues a quién se lo vamos a preguntar?

EMILIANO. Señor Corujedo, ¿oye usted esto?

CORUJEDO. Sí. Y realmente está usted en la obligación de explicarnos…

EMILIANO. *(Estupefacto.)* ¿Que estoy en la obligación de explicarles…? *(A* MARÍA.*)* ¿Dónde está el agua de azahar?

MARÍA. *(Alargándole una botella.)* Aquí.

EMILIANO. *(Bebiéndose un trago.)* Venga… *(Se limpia con la manga.)*

LUISA. Como María decía que...

MARÍA. Yo como le oí hablar del tío Roberto...

EMILIANO. Pero si las noticias del tío Roberto me las ha dado esta señora... *(Por* JUANA.*)*

JUANA. Ahora, que yo tampoco sé una palabra, ¿eh?

EMILIANO. *(Indignado y furioso.)* Pero lo va usted a saber en seguida...

JUANA. ¿Cómo?

EMILIANO. *(A gritos, haciéndose dueño de la situación.)* ¡Y yo también!... ¡Y el señor Corujedo!... ¡Y todos! Porque si dentro de tres minutos justos no nos enteramos nosotros de las cosas que suceden aquí, aquí van a suceder cosas de las que se va a enterar todo el mundo...

JUANA. ¡Pero, buen hombre!...

CORUJEDO. Amigo mío... *(Alarma en todos.)*

EMILIANO. Ni buen hombre, ni amigo, ni nada... No estoy dispuesto a aguantar el que me pregunten a mí lo que ocurre, ni mucho menos a quedarme sin saberlo, porque antes de eso, mato a una...

LUISA. ¡Dios mío!...

ADELA. ¡Ay!...

CATALINA. ¡Avisad a alguien!

MARÍA. Sí, sí... *(Inicia el mutis por el foro.)*

EMILIANO. Quieta, joven... De aquí no sale nadie... Me constituyo en tribunal, y voy a interrogar. *(A* LUISA.*)* Hable la testigo.

LUISA. Pues, verdaderamente, yo no puedo decir mucho. Hasta el jueves pasado el señorito Ricardo ha venido haciendo su vida corriente: visitar noche tras noche a su tío Roberto, que ha vivido once meses asegurando formalmente que se moría al día siguiente.

CORUJEDO. Y ¿de qué ha vivido don Ricardo en esos once meses?

LUISA. De milagro, caballero.

EMILIANO. Pero, ¿y esta casa?

JUANA. No se paga desde agosto.

EMILIANO. ¿Es posible?

LUISA. ¡Si lo sabrá Juana, que es la portera! Y todos estos muebles, vendidos. No se los han llevado ya porque, como pesan mucho, les da pereza.

CATALINA. A mí el señorito me debe el sueldo de todo el año.

MARÍA.⎫
⎬ Y a mí.
ADELA.⎭

LUISA. Toma, y a mí. Y al cochero. Y a todos…

EMILIANO. ¿Y cómo le sirven ustedes?

MARÍA. De muy mala gana.

LUISA. La verdad es que todos esperábamos el día de hoy, porque a las nueve era la lectura del testamento. El señorito se fue a las nueve menos cuarto, y cuando volvió de casa del notario, estaba pálido y deprimidísimo… Le pregunté y me contestó: «Sí, Luisita; me ha dejado de heredero universal, pero lo que ese hombre ha hecho conmigo es una infamia, una infamia…». Se echó a llorar, le entró un hipo tremendo y empezó a dar sacudidas; total, que cayó en un ataque de nervios terrible.

CATALINA. Terrible.

CORUJEDO. Bueno; pero, ¿y las risas?

EMILIANO. Eso es: ¿por qué se reía al mismo tiempo que se quejaba?

LUISA. Eso es otro asunto: lo del doctor Bremón, un antiguo amigo del señorito.

CORUJEDO. Médico, claro…

LUISA. Pues verá usted: es médico y no es médico.

EMILIANO. En esta casa nadie sabe lo que es.

LUISA. Es médico porque tiene acabada la carrera de Medicina y una fama grandísima como médico; pero no es médico porque no ejerce y, además, porque, según él mismo dice, no sabe nada de medicina.

CORUJEDO. ¿Que no sabe nada de medicina?

EMILIANO. Entonces, por eso es famoso como médico.

LUISA. Según él, la medicina no es una ciencia, sino un arte.

CORUJEDO. Un arte…

LUISA. Y lo define como «el arte de acompañar con palabras griegas al sepulcro».[3]

EMILIANO. ¡Vaya un tío!…

LUISA. Para él las enfermedades se dividen en dos clases: las que se curan solas de cualquier manera y las que no las cura nadie de ninguna manera. Las primeras, como se curan solas de cualquier manera, dice que no necesitan médico, y las otras, como no las cura nadie de ninguna manera, pues tampoco.[4]

EMILIANO. Un genio…

CORUJEDO. Y si no se dedica a la medicina, ¿a qué se dedica el doctor?

LUISA. Pues… (*Volviéndose a* ADELA, *con aire reservado, como quien no se atreve a descubrir un secreto gravísimo.*) ¿Lo digo?

EMILIANO. (*Indignado.*) ¿Cómo que si lo dice? ¿Cómo que si lo dice? Pero ¿usted cree que vamos a aguantar que nos oculte usted algo?

ADELA. Dígalo, Luisa. Después de todo…

LUISA. Pues nosotras creemos que se dedica a… Pero antes de decirlo voy a rezar un padrenuestro a san Isidro para que nos libre del pecado…[5]

---

3 Naturalmente, porque muchas palabras relacionadas con la medicina tienen origen griego.

4 La opinión que el doctor Bremón tiene sobre los médicos y la medicina es, en el fondo, la del propio Jardiel Poncela, quien llegó a escribir: «La salud es un asunto demasiado grave para ponerlo en manos de los médicos».

5 San Isidro Labrador es el santo patrono de Madrid, ciudad donde transcurre la acción del primer acto.

EMILIANO.

CORUJEDO. } ¿Eh?

LUISA. *(Poniéndose ante la imagen.)* Padre Nuestro... *(Rezan todas las mujeres.)*

EMILIANO. Pero ¿usted ve esto?

CORUJEDO. ¿A qué se dedicará el doctor, que hace falta rezar antes de decirlo?

EMILIANO. Señor Corujedo, me estoy quedando sin pulso.

LUISA. *(Acaba con las demás la oración.)* «... tentación, mas líbranos del mal. Amén». Pues nosotras creemos que el doctor Bremón se dedica a... *(Bajando la voz y estremeciéndose.)* a... cosas de brujería.

TODAS. ¡Jesús!...

EMILIANO. ¿Cómo?

CORUJEDO. ¿A cosas de brujería?

LUISA. Sí, señor, sí. Hace experiencias raras y descubrimientos extraños. Tiene la casa llena de bichos para probar en ellos sus experimentos. No permite entrar a nadie en su gabinete de trabajo, y, por las noches, el doctor se encierra ahí horas y horas, y dicen que sale humo por debajo de la puerta.

EMILIANO. Será que fuma.

LUISA. No, señor, que el humo, por lo visto, tiene como un olor a azufre...[6]

JUANA.

CATALINA. } ¡Ave María Purísima! *(Se santiguan.)*

MARÍA.

ADELA. ¡El doctor lee el futuro en los astros!

EMILIANO. ¡Vaya vista!...

MARÍA. ¡Y le achacan no sé cuántos inventos!

---

6 Por sus aplicaciones relacionadas con el fuego, el azufre se ha asociado tradicionalmente con el diablo. De ahí la reacción subsiguiente de las criadas.

LUISA. ¡Una de las cosas que dicen que ha inventado es unas píldoras para no dormirse en la ópera!

CORUJEDO. ¡Qué cerebro!

EMILIANO. Eso es más grande que lo del seguro de vida, señor Corujedo.

LUISA. Por ello es nuestro miedo y nuestra angustia, porque a poco de volver el señorito Ricardo de la notaría, llegó una carta para él del doctor Bremón. Se la dejé en su cuarto, pero me olvidé de ella cuando cayó con el ataque de nervios. Asustada, mandé a esta (*Por* MARÍA.) que fuera a buscar agua de azahar y éter,[21] y en el momento en que iba a ir, vimos que el señorito, en vez de quejarse, empezaba a reír a carcajadas. Entramos, aterradas, creyendo que se había vuelto loco; pero no se había vuelto loco: era que había leído la carta del doctor.

EMILIANO. ¡Caramba!

LUISA. Parecía otro hombre; le brillaban los ojos, y daba vivas al doctor y a España. Y gritaba: «¡Ya está, ya está!».

EMILIANO. ¡Ya está!

TODOS. (*Interesadísimos.*) ¿El qué?

EMILIANO. Que gritaba: «¡Ya está!».

LUISA. Sí, señor. «¡Ya está!». Y en seguida dijo que avisásemos a la señorita Valentina y a doña Hortensia, y que trajéramos pasteles y *champagne* para celebrarlo.

EMILIANO. ¿Pero para celebrar el qué?

LUISA. Pues esa es la cosa, que no dijo más.

EMILIANO. Bueno, pero, ¿y la carta del doctor?

LUISA. Aquí la tengo. (*Saca una carta de un bolsillo del delantal.*)

EMILIANO. ¿Y qué dice?

CORUJEDO. ¿Qué dice?

---

21 *éter*: derivado del alcohol de sabor picante y olor fuerte que se usa para calmar los nervios.

LUISA. Pues dice… (*En este instante, por el foro entra* VALENTINA, *seguida de* JOSÉ, *el cochero. Al verla,* LUISA *grita.*) ¡Ay! ¡La señorita Valentina!… (*Y todos van hacia ella.*)

EMILIANO. (*A* CORUJEDO.) Me parece que tampoco nos enteraremos de la cartita. (VALENTINA *es una muchacha de veintisiete o veintiocho años, muy bonita, un poco tímida y apegada a los prejuicios de su siglo. Al entrar, asustadísima y acongojada, va abrazando a unas y a otras con patetismo cómico.*)

VALENTINA. Luisa…

LUISA. Señorita Valentina… (*Se abrazan.*)

VALENTINA. Adela…

ADELA. Señorita Valentina… (*Se abrazan.*)

VALENTINA. María… Juana…

MARÍA. Señorita Valentina…

JUANA. Señorita Valentina… (*Se abrazan.*)

EMILIANO. (*A* CORUJEDO.) Esta debe ser la señorita Valentina.

VALENTINA. Estoy como loca… Me parece que me va a dar algo.

LUISA. ¿Eh?

VALENTINA. Que me den algo, que si no me va a dar algo.

ADELA. Azahar.

JUANA. El agua de azahar.

EMILIANO. ¡La botella! (*Vuelve a coger la botella, limpiándola con la manga y ofreciéndosela a* VALENTINA.)

VALENTINA. No… Azahar no quiero. ¡Quiero a Ricardo! ¡Que me traigan a Ricardo!

EMILIANO. Pues a Ricardo no se lo podemos dar embotellado.

LUISA. Ahora duerme, señorita.

VALENTINA. ¡Necesito verle!… ¡Pobrecito!… ¡Y ayer que me dijo que nos casaríamos en enero!… ¡Y yo que le había comprado una chistera de pelo,[22] que son las que le gustan!…

---

22 *chistera*: 'sombrero de copa alta'; en este caso, recubierto de pelo de conejo.

¡Estoy malísima!… ¡Todo me da vueltas!… *(Cierra los ojos.)* ¡Ay!…

EMILIANO. Señorita, no se desmaye usted, que no nos vamos a enterar de la carta del doctor Bremón.

VALENTINA. *(Abriendo los ojos al instante.)* ¿Eh? ¿Se ha recibido una carta del doctor Bremón?

LUISA. Esta mañana.

VALENTINA. ¿Qué dice la carta? A ver, a ver, ¡por Dios! *(Le arrebata la carta a* LUISA, *disponiéndose a leer en voz alta.)*

EMILIANO. Atención, señor Corujedo. *(El* COCHERO *se echa sobre el grupo, impaciente.)* Cochero, no atropelle.

VALENTINA. *(Que miraba el papel, suspirando.)* ¡Ay, no veo!…

EMILIANO. ⎱
CORUJEDO. ⎰ ¿Eh?

VALENTINA. ¡Me bailan las letras!

EMILIANO. Traiga usted. *(Le quita la carta a* VALENTINA *y se dispone a leerla, seguido por todos; pero lanza una exclamación de rabia.)* ¡Maldita sea mi estampa!…

LUISA. ¡Jesús!…

CORUJEDO. ¿Qué ocurre?

EMILIANO. Que, a pesar de ser cartero, no entiendo la letra del doctor.[7]

CORUJEDO. Déjemela usted a mí, que he sido boticario.[23] *(Coge la carta y lee en el otro extremo del escenario, seguido por todos.)* Doctor Bremón y Novaliches, Leganitos, 28, Hotel.

EMILIANO. Más abajo, señor Corujedo, que eso es el membrete.

CORUJEDO. «Ceferino Bremón».

EMILIANO. Más arriba, que eso es la firma.

VALENTINA. ¡Qué mala puntería tiene este señor!

---

23 *boticario*: farmacéutico.

7 Como es sabido, a los médicos se les suele acusar de tener mala letra.

CORUJEDO. «Querido Ricardo»…

EMILIANO. Ahí…

CORUJEDO. «Querido Ricardo: ten serenidad para recibir la noticia espeluznante que voy a darte en esta carta…».

EMILIANO. ¡Caray!

CORUJEDO. «La noticia es sencillamente que he triunfado».

EMILIANO. ¿Que ha triunfado?…

CORUJEDO. (*Lee.*) «Mis quince años…».

LUISA. ¿Sus quince años?

EMILIANO. ¿Pero qué edad tiene el doctor?

CORUJEDO. «Mis quince años de esfuerzos y trabajos no han resultado inútiles».

EMILIANO. ¡Ah, vamos! ¡Ya decía yo!…

CORUJEDO. «A las siete y media de esta tarde iré a verte para que hagamos juntos el sensacional experimento. Avisa a Valentina y a Hortensia, sin decirles aún nada, pues debemos descubrirles la grandiosa verdad con toda clase de precauciones, so pena de que caigan enfermas de impresión».

EMILIANO. ¡Arrea!

VALENTINA. ¡Dios mío!

CORUJEDO. Por lo visto, el descubrimiento es una cosa fantástica que…

EMILIANO. Bueno, siga usted y no comente.

CORUJEDO. «El mundo es tuyo, mío y de ellas».

EMILIANO. Se lo han repartido.

CORUJEDO. «Ya podemos reírnos del pasado, del presente y del porvenir. Y tú, particularmente, puedes reírte del testamento de tu tío Roberto. Hasta luego. Un abrazo de Ceferino Bremón».

VALENTINA. ¡Dios mío!… ¿Qué ha podido inventar o descubrir ese hombre para que Ricardo se ría del testamento de su tío Roberto, cuando eso es la canallada de las canalladas?

LUISA. Pero, usted, señorita Valentina, ¿conoce el testamento?

VALENTINA. ¡Claro! *(Todos rodean a* VALENTINA.*)*

EMILIANO. ¡Cochero! Ande a cerrar la puerta de la escalera, porque si ahora entra alguien a interrumpirnos, voy a la cárcel...

JOSÉ. Sí, señor. *(Se va por el foro.)*

EMILIANO. Hable usted, señorita.

VALENTINA. Bueno, pero... ¿Y usted quién es?

EMILIANO. Hasta que me echen del Cuerpo, un cartero. Y hasta que me entere de lo que les está ocurriendo a ustedes, un neurasténico.[24]

CORUJEDO. Y yo otro.

VALENTINA. ¿Otro qué?

CORUJEDO. Otro neurasténico, señorita.

LUISA. El tío ha dejado al señorito Ricardo heredero universal, ¿no?

VALENTINA. Sí. Pero con la condición infame de que no puede entrar en el goce de los ocho millones de reales hasta dentro de sesenta años.

TODOS. ¿Eh?

LUISA. ¿De sesenta años?

EMILIANO. Pero, ¿cómo de sesenta años?

VALENTINA. Pues eso, que hasta que no transcurran sesenta años no le entregan a Ricardo ni un céntimo de la herencia.

ADELA. ¡Qué canallada!...

LUISA. Por algo decía el pobrecito que era una infamia.

JUANA. Y razón tenía para los ataques de nervios.

CORUJEDO. Pero, y eso, ¿cómo es posible?

EMILIANO. ¿Es que hoy el cadáver estaba loco?

VALENTINA. No, no estaba loco. Es que el tío Roberto era un

---

24 *neurasténico*: enfermo mental que muestra exceso de emotividad, tristeza y cansancio, entre otros síntomas.

tacaño y un miserable, y tenía muy mala opinión de Ricardo desde que derrochó la fortuna que le dejaron sus padres. Siempre que se hablaba de eso, decía que a los jóvenes no se les debe dar dinero porque no saben apreciarlo, y en el testamento pone la condición de que Ricardo no disfrute la herencia hasta pasados sesenta años, con objeto de que en la época de cobrar haya sentado la cabeza.

LUISA. ¡Y tanto que la habrá sentado!...

EMILIANO. Para esa época la tendrá echada...

LUISA. Figúrese: ha cumplido ahora los treinta y dos. Pues cobrará los ocho millones a los noventa y dos años.

VALENTINA. Eso es... En 1920... Cuando le tengan que sacar a tomar el sol en un carrito... *(Se limpia una lágrima.)*

EMILIANO. Si hay carritos entonces...

VALENTINA. ¡Ricardo de mi vida!... Luisa, quiero verle... ¡Quiero verle!...

LUISA. Le digo que duerme, señorita. Y no sería honesto y decente que la señorita entrara en la alcoba²⁵ del señorito antes de casarse con él.

CORUJEDO. Claro: ya entrará después de que se case.

EMILIANO. Solo que entonces puede que a lo mejor no tenga interés en entrar.⁸

CORUJEDO. La veo esperándose a entrar hasta 1920. *(Dentro suena una campanilla.)*

LUISA. Han llamado... El doctor...

JUANA. El doctor... *(MARÍA se va corriendo por el foro.)*

---

25 *alcoba*: dormitorio.

8 La frase de Emiliano, además de propiciar el chiste subsiguiente de Corujedo, revela el escepticismo de Jardiel por el amor ("El amor es la mayor vacuna contra el amor", dice el autor en uno de sus aforismos) y, sobre todo, la aversión que sentía por el matrimonio ("A las bodas, igual que a los entierros, se va siempre de negro: por algo será", sentencia en otro aforismo). Emiliano cargará de nuevo sobre el matrimonio en el acto segundo (p. 79).

José. Debe de ser doña Hortensia, que ya estaba arreglándose para venir. (Valentina *sigue sentada en el sillón, atendida por* Catalina, Juana *y* Adela. *En otro grupo,* Emiliano, Corujedo *y* Luisa.)

Emiliano. Esta doña Hortensia, ¿es la novia del doctor?

Luisa. ¿Novia? ¡Qué más quisieran los dos!... Es prometida y gracias...

Adela. ¡Y prometida Dios sabe hasta cuándo!...

Luisa. ¡Pobre víctima!...

Emiliano. ¿Pero es que a doña Hortensia también le ocurre algún drama?

Luisa. Lo de doña Hortensia, señor Emiliano, es una tragedia.

Emiliano. Esta familia tiene más interés que *Los tres mosqueteros*.[9] (*Por el foro entra* María, *seguida de* Hortensia.)

María. Pase la señora. (*Cede el paso a* Hortensia. *Esta es una dama de unos cuarenta años, muy elegante, de carácter exuberante, apasionado. Entra con el ímpetu de quien pisa terreno propio y es capaz de dominar todas las situaciones.*)

Luisa. Doña Hortensia...

Valentina. Hortensia... (*Se levanta del sillón. Todos inician un avance hacia ella. Ella les contiene con un gesto.*)

Hortensia. ¡Quietos!... ¡No se muevan!... ¡Calma! ¡Sangre fría! ¡Tranquilidad!... (*A* Valentina, *acariciándola maternalmente.*) Llora, si eso te desahoga, pero no te preocupes.

Valentina. ¡Hortensia!

Hortensia. Y ustedes no se preocupen tampoco. ¿Me ven a mí preocupada?

Todos. No, señora.

Hortensia. Pues tengo aún más motivos que ustedes para es-

---

9 La conocida novela de aventuras *Los tres mosqueteros* (1844), del escritor francés Alexandre Dumas, es famosa por su acción trepidante y su habilidoso manejo del suspense.

tarlo. Pero soy mujer que no se deja rendir fácilmente. Todo tiene arreglo. Y hasta lo más malo tiene su lado bueno. La vida, por ejemplo, es amarga. Pero, en cambio, por ser amarga, nos abre las ganas de comer.[10]

EMILIANO. ¡Olé!…

HORTENSIA. *(Volviéndose.)* ¿Qué?

EMILIANO. Que tiene usted razón.

HORTENSIA. No hay que dejarse abatir. Yo, a los trece años, vi fusilar a mi padre, allá en Venezuela. Cuestiones políticas. Pues bien, le vi fusilar y no lloré. Me adelanté al grupo y grité: «¡Mueran los enemigos de mi padre!».

EMILIANO. ¡Muy bien!

HORTENSIA. Entonces, se me acercó el cabecilla que mandaba el piquete,[26] y me dijo: «¡Toma, muchacha! ¡Te lo has ganado por valiente!». Y me dio un plátano.

CORUJEDO. ¡Caray!…

EMILIANO. Bueno, es que en Venezuela son tremendos…

HORTENSIA. ¡Pobre padre!… Murió joven y mi primera poesía la compuse el día de su muerte. Se titulaba: «Papá Pancho».

EMILIANO. ¿Papapancho? Eso será alguna fruta de allá…

HORTENSIA. ¿Cómo una fruta? Es que mi padre se llamaba Pancho, y que en Venezuela a los padres se les dice papás.

EMILIANO. Y en España también; sobre todo cuando se les va a pedir dinero.

HORTENSIA. Todavía recuerdo los versos aquellos; eran sencillos y juveniles. Terminaban diciendo:

Papá Pancho, papá Pancho:
tú, que amabas las hamacas,

---

26 *piquete*: pequeño grupo de soldados que disparan contra el reo en un fusilamiento.

10 Jardiel basa el chiste de Hortensia en el hecho de que ciertos licores amargos se usan como aperitivo para despertar el apetito.

y el mate,[27] y el sombrero ancho,
fuiste a morir, entre estacas,
en un rancho[28] de Caracas:
¡en un rancho,
papá Pancho, papá Pancho!...

EMILIANO. ¡Pero qué bonito!... *(Murmullo de aprobación en todos.)*

HORTENSIA. Y es que hay que tener entereza ante la desgracia. Pero, ¿y Ricardo? ¿Cómo sigue Ricardo?

VALENTINA. *(Lloriqueando.)* Yo creo que no sale de esta...

HORTENSIA. ¡Qué tontería!... Se pondrá bien; os casaréis. Todo se arreglará... Y yo me casaré también con Ceferino. Porque él lo va a solucionar todo con su nuevo descubrimiento.

MARÍA.
LUISA. } ¿Con su descubrimiento?
ADELA.

JOSÉ.
CATALINA. } ¿Eh?
JUANA.

VALENTINA. *(Levantándose y pasando al lado de* HORTENSIA.*)* ¿Es que va a resolver hasta el conflicto de ustedes, Hortensia?

HORTENSIA. Hasta nuestro propio conflicto, hija mía.

EMILIANO. *(A* HORTENSIA, *muy fino.)* Señora: ¿se le puede permitir a un humilde cartero, que se está jugando el porvenir por las incongruencias[29] que aquí ocurren, preguntar cuál es el conflicto de ustedes?

HORTENSIA. Nuestro conflicto, cartero, es que, desde hace tres años que conocí al doctor Bremón, no vivo más que para ad-

---

27 *mate*: infusión de hierba semejante al té, muy popular en Hispanoamérica por sus propiedades estomacales y excitantes.
28 *rancho*: en Venezuela, 'choza o casa pobre con techumbre de ramas y pajas, situada fuera del núcleo principal de viviendas de una población'.
29 *incongruencia*: cosa disparatada o que carece de lógica.

mirarle, para venerarle[30] y para quererle… y que, a pesar de todo, y contra mi deseo, no puedo casarme con él.

CORUJEDO. ¿Quién lo impide?

HORTENSIA. Lo impide el que no estoy ni casada, ni viuda ni soltera.

EMILIANO. ⎫
CORUJEDO. ⎭ ¿Cómo?

HORTENSIA. Lo que ustedes oyen. Porque mi marido desapareció en un naufragio, y a mí, por lo tanto, no se me ha declarado viuda.

CORUJEDO. Ya comprendo… Y no se puede volver a casar, según la ley, hasta pasados treinta años.

HORTENSIA. Eso es. Tengo ahora veintiuno.

VALENTINA. *(Asombrada.)* ¿Veintiuno?

HORTENSIA. *(Queriéndolo arreglar.)* ¡Uy!… Veintiuno… He querido decir treinta y tres; como suena igual… Pues *(Echando cuenta.)* tengo ahora veintiocho… Luego, con arreglo a la ley, no puedo casarme con el doctor hasta alrededor de los sesenta años.

CORUJEDO. Realmente es un drama.

EMILIANO. *(Maravillado.)* ¿Y dice usted que el invento del doctor soluciona también eso?

HORTENSIA. También.

EMILIANO. ¿Qué habrá inventado ese tío?

HORTENSIA. Esta mañana, Ceferino me envió a casa un recado lacónico,[31] que decía: «Querida Hortensia: La felicidad es nuestra, porque he triunfado».

VALENTINA. Lo mismo que le dice en la otra carta a Ricardo.

HORTENSIA. Y agrega: «Podemos reírnos del pasado, del presente y del porvenir…».

---

30 *venerar*: adorar.
31 *lacónico*: breve y conciso.

VALENTINA. Igual, igual...

HORTENSIA. Para acabar aconsejándome: «Y usted, particularmente, puede reírse de la desaparición de su esposo».

VALENTINA. Y a Ricardo le dice que puede reírse del testamento del tío Roberto... *(El reloj da una campanada.)*

LUISA. La media. A esta hora dijo el doctor que vendría...

HORTENSIA. Entonces está al caer, porque es puntual como un eclipse.

LUISA. ¿Despertamos al señorito?

HORTENSIA. No. Déjenle descansar hasta que llegue don Ceferino.

EMILIANO. Eso, eso, que no le despierten *(A CORUJEDO.),* porque si le despiertan y me firma el certificado, me tengo que ir de aquí sin saber lo que ha inventado ese genio.

CORUJEDO. Claro, claro.

MARÍA. Yo voy a enfriar el *champagne* y a preparar los pasteles.

CATALINA. Los ha mandado traer el señorito para celebrar lo del doctor. *(Se va con MARÍA, la cual se lleva los paquetes, por el foro.)*

VALENTINA. Está en todo. *(Dentro suena una campanilla.)*

TODOS. ¿Eh? *(Dando un respingo.[31] Un instante de pausa expectante, y por el foro entra MARÍA, disparada y sin paquetes.)*

MARÍA. ¡El doctor!... ¡Ya está aquí el doctor!... *(Revuelo de todos.)* Voy a avisar... *(Se va por la derecha.)*

EMILIANO. Estoy muerto por conocerle...

CORUJEDO. Y yo... *(Por el foro, seguido de CATALINA, entra CEFERINO BREMÓN. Es un hombre de unos cincuenta y tres años,[11] con el pelo gris, peinado en melena, de aire un tanto extraño, con*

---

31 *respingo*: gesto y movimiento de sorpresa.

11 Si hemos de creer al propio personaje (véase más adelante la p. 46), en realidad tiene cincuenta y cinco años.

algo de diabólico y misterioso. Los ojos le brillan con satisfacción y expresión de triunfo, como quien se halla en posesión de un secreto extraordinario, que, a pesar de su modestia científica, le permite contemplar la Humanidad un poco de arriba abajo. Sonríe con sonrisa burlona y se acaricia la barbita en un gesto insinuante y sugestionador.)

BREMÓN. Buenas tardes a todos…

VALENTINA. ¡Bremón!

HORTENSIA. Ceferino…

JOSÉ. El doctor…

JUANA. El brujo…

CORUJEDO. El gran hombre…

EMILIANO. El genio… *(Quedan todos contemplándole en silencio, con respeto y una especie de temor supersticioso, esperando a que hable y a que diga algo tremendo.)*

BREMÓN. *(Avanzando unos pasos.)* Ha hecho buen día, ¿verdad?

EMILIANO. ¿Qué dice? ¿Qué dice?

CORUJEDO. Dice que ha hecho buen día.

EMILIANO. ¡Qué talento!…

BREMÓN. Y ayer también hizo un día magnífico, ¿no? *(Lentamente y frotándose las manos avanza hacia un sillón, donde se sienta. Todos van detrás de él, como sugestionados.)*

HORTENSIA. ¡Ceferino, que estamos que no vivimos de impaciencia!

VALENTINA. Deseando saber…

BREMÓN. *(Quitándose los guantes y como si no se diera cuenta de lo que esperan de él.)* En general, toda la semana ha sido buena. Pero quizá llueva el lunes o el martes… *(A* HORTENSIA.*)* Bien dijo usted en uno de sus poemas, Hortensia, aquello de:

> Ni de que haga buen tiempo puede uno responder,
> pues después de unos días de sol casi de estío
> de pronto viene el frío,

se acumulan las nubes y empieza a llover.
Y es que el mundo es un lío, amigo mío.
¡Y qué se le va a hacer!

Es lo más exacto que acerca del tiempo he oído decir en poesía.

HORTENSIA. Gracias, Ceferino... *(Por la derecha, escapada,*[33] MARÍA.*)*

MARÍA. El señorito... ¡Que viene el señorito!

VALENTINA. ¿Eh?

MARÍA. Al decirle que estaba aquí el doctor, ha dado un salto, ha pasado por encima de doña Luisa y viene hacia aquí.

CATALINA. ¡Ay!... Que ahora sí que está loco... Que viene patinando por el pasillo.

VALENTINA. ¡Jesús!...

EMILIANO. Patinando y pisando amas de llaves, señor Corujedo...

MARÍA.
    } Ya está aquí.
CATALINA.

(Por la derecha aparece, en efecto, RICARDO *seguido de* LUISA, *arrugada*[34] *y despeinada, que intenta contenerle.)*

LUISA. ¡Señorito Ricardo, por Dios!... *(Todos se parapetan,*[35] *asustados, menos* HORTENSIA, *el* DOCTOR, *que sigue tan fresco, y* VALENTINA, *que va hacia la derecha.* RICARDO *es un joven de treinta y dos años, guapo y bien plantado. Viene en bata, con una zapatilla puesta y un pie descalzo. Trae los pelos de punta y su aspecto es realmente el de un tipo que anda mal de la cabeza.)*

RICARDO. *(A* LUISA.*)* Déjeme... ¿Dónde está ese fenómeno?

---

33 Es decir, 'a todo correr'.
34 *arrugada*: encogida, asustada.
35 *parapetarse*: resguardarse o protegerse ante un peligro.

¿Dónde está Bremón? *(Cruza la escena como una tromba, sin preocuparse de* VALENTINA *ni de nadie.)* ¡Bremón!... ¡Coloso!... ¡Pirámide!...

BREMÓN. ¡Hola!

RICARDO. Catedral empalmada... Río puesto de pie...

BREMÓN. ¡Pero, hombre!...

RICARDO. Déjame que te estreche, que te apretuje, que te machaque... Tu nombre hay que escribirlo con letras de oro y perlas falsas, que son las más caras. *(Le estrecha furiosamente.)*

VALENTINA. *(Asustada.)* ¡Por la Virgen, Ricardo, tranquilízate..., que me das miedo!...

HORTENSIA. Serenidad, Cifuentes.

EMILIANO. Tranquilidad, caballero...

BREMÓN. ¡Pero, Ricardo, hombre!...

RICARDO. Abrazarlo y comérmelo es poco. Ante él hay que hincarse de rodillas, poner la frente en sus botas y rezarle un Credo...

MUJERES. ¡Jesús!...

JOSÉ. Vaya blasfemia...

VALENTINA. Ricardo...

EMILIANO. Loco perdido.

RICARDO. Ante ese genio, ante ese genio hay... ¡Ay!... *(Se pone pálido y cierra los ojos.)*

VALENTINA. ¡Dios mío!...

LUISA. Otra vez el ataque.

EMILIANO. ¡Ahí va! *(*VALENTINA, HORTENSIA *y* LUISA *le echan en un sillón.)*

CRIADAS. Señorito...

BREMÓN. ¡Quietos!... Márchense todos de aquí.

TODOS. ¿Eh?

LUISA. ¿Que nos marchemos?

BREMÓN. Sí. Déjennos. Necesitamos quedarnos a solas con él.

LUISA. ¡Pero, don Ceferino!...

LOS DEMÁS. ¡Pero, doctor!...

BREMÓN. Sin objeciones... Hagan el favor de irse. *(De mala gana y refunfuñando, se van yendo por el foro* MARÍA, JOSÉ, LUISA, ADELA, CATALINA *y* JUANA.*)*

LUISA. ¡El maldito brujo!

ADELA. Echarnos ahora que íbamos a saber...

EMILIANO. ¡Hala! ¡Hala, eso es! ¡Váyanse ustedes!...

BREMÓN. *(A* CORUJEDO *y* EMILIANO.*)* Y ustedes también.

EMILIANO. ¿Que me vaya yo?

BREMÓN. Y sin perder momento.

EMILIANO. Caballero, yo traía un certificado para el señor Cifuentes... Estoy aquí desde por la mañana. Ya le he tomado cariño a la casa. Me estoy jugando el cargo por averiguar el lío de ustedes... *(Más compungido[36] aún.)* Y ahora que lo iba a saber...

BREMÓN. Pues lo siento mucho, pero nuestro asunto es absolutamente secreto y no puede usted saberlo.

EMILIANO. ¿No puedo saberlo?

BREMÓN. No; así es que váyase con los demás. *(*EMILIANO, *al oír esto, rompe a llorar desconsoladamente.* CORUJEDO, *que estaba esperando junto al foro, va hacia él compadecido.)*

CORUJEDO. Pero, Menéndez, hombre...

EMILIANO. Señor Corujedo... *(Se echa a llorar en sus brazos.)*

CORUJEDO. No se ponga usted así; qué se le va a hacer.

EMILIANO. ¡Ay, señor Corujedo!

CORUJEDO. Tenga usted conformidad.[37]

---

36 *compungido*: muy triste.

37 *tener conformidad*: resignarse, asumir con serenidad una desgracia.

EMILIANO. ¡Ay, señor Corujedo de mi alma!... ¡Ay, señor Corujedo, qué desgraciado soy!... *(Se va por el foro llevado por*
CORUJEDO.*)*

HORTENSIA. Pobrecillo. Es la sensibilidad hecha cartero...

VALENTINA. ¿Estás mejor?

RICARDO. Sí, mucho mejor. Ya estoy bien. Estos ataques que
me dan son de alegría. *(Se levanta.)*

VALENTINA. Pues no te alegres más, Ricardo, por Dios. *(En-
tretanto,* BREMÓN *se ha ocupado de cerrar cuidadosamente las
puertas del foro y de la derecha.)*

HORTENSIA. ¿Qué hace usted, Ceferino? ¿Son necesarias tantas
precauciones?

RICARDO. Ya lo creo que son necesarias.

BREMÓN. Es imprescindible cerrar las puertas y meter unas bo-
litas de papel en las cerraduras.

HORTENSIA. ¿Usted cree?

BREMÓN. ¿Que si lo creo? Fíjese. *(Abre bruscamente la puerta
del foro y caen en escena, formando un montón confuso,* LUISA,
ADELA, CATALINA, JUANA, MARÍA *y* JOSÉ, *que se hallaban detrás de la puerta escuchando.)*

TODOS. ¡Aaaaaay!...

JOSÉ. ¡Arrea! *(Se levantan muy avergonzados tropezando unos
con otros, y se van, cerrando la puerta, por el foro.)*

BREMÓN. Ya lo ha visto usted. Y el asunto es tan importante,
que una indiscreción podría sernos fatal. Lo que aquí hable-
mos hoy no debe salir jamás de entre nosotros, porque si lo
divulgásemos, la Humanidad entera se nos echaría encima.

HORTENSIA. ¿La Humanidad entera?

RICARDO. La Humanidad entera y algunos habitantes de Mar-
te. ¡Lo que ha inventado este genio!

HORTENSIA. Yo he llegado a suponer si se tratará de la fabricación del oro.

RICARDO. ¿Ha oído? La fabricación del oro… ¡Ja, ja, ja! *(Se ríen como locos.)*

VALENTINA. *(Aparte a* HORTENSIA.*)* ¡Ay, me dan miedo!

HORTENSIA. Entereza, hija mía.

BREMÓN. No lo adivinarán ustedes nunca… Van a saberlo por mí mismo.

LAS DOS. ¿A ver? ¿A ver?

RICARDO. Sentaos, sentaos, no sea que os caigáis al suelo al saberlo… Su descubrimiento significa la solución de nuestros problemas.

BREMÓN. Justamente, y esa solución es el tiempo…

LAS DOS. ¿El tiempo?

BREMÓN. El tiempo. ¿Qué hace falta para que Ricardo entre en posesión de los ocho millones de reales de su tío Roberto? ¿Que pasen sesenta años? Pues se dejan pasar los sesenta años. Ricardo cobra, se casan ustedes y tan contentos…

HORTENSIA. ¡Pero, Ceferino!…

VALENTINA. ¡Pero, Bremón!…

BREMÓN. ¿Qué tiene que suceder para que la ley la autorice a usted a casarse? ¿Que pasen treinta años de la desaparición de su marido? Pues dejemos pasar esos treinta años y la ley autoriza, y en paz.

RICARDO. Eso es… eso es… ¡Qué hombre más grande!…

HORTENSIA. *(Aparte a* VALENTINA.*)* Hija mía, yo creo que se han vuelto locos…

VALENTINA. Tengo miedo… Deberíamos llamar a las criadas.

BREMÓN. Ahora se creerán que estamos locos.

RICARDO. Sí. ¡Se lo creen, se lo creen!… ¡Mírales las caras!… ¡Se lo creen!…

BREMÓN. ¡Qué gracia!… ¡Nosotros locos!… ¡Ja, ja!

RICARDO. ¡Ja, ja!… ¡Qué risa!…

BREMÓN. Bueno, es natural. Eso mismo decía la gente al principio de Franklin y de Copérnico.

RICARDO. Y de Stephenson…

BREMÓN. Y de Newton y de Galileo.[12]

VALENTINA. Vamos a llamar. *(Se va hacia el foro con* HORTEN-
SIA.*)*

RICARDO. *(Conteniéndola.)* ¡Chist!… Quieta… No llames…

BREMÓN. Un segundo, Hortensia… Si un hombre, a fuerza de
trabajos, de tentativas y de insomnios hubiera descubierto un
procedimiento por el cual las personas que él quisiera no se
muriesen jamás y fueran eternamente jóvenes, ¿tendría alguna importancia para estas personas el paso del tiempo?

LAS DOS. ¿Cómo?

BREMÓN. Si usted *(A* HORTENSIA.*)* supiera que no se iba a morir nunca y que siempre iba usted a ser joven y apetecible,
¿tendría inconveniente en aguardar treinta años a ser libre
para casarse?

HORTENSIA. Pero es que eso es una fantasía que…

RICARDO. *(Dando un puñetazo en`la mesa.)* ¡Eso es una verdad
del tamaño de un obelisco![38] Si él quiere, usted será joven e
inmortal, y Valentina lo mismo, y yo también, y todos igual.

VALENTINA. *(Aterrada, yendo hacia el foro.)* ¡Doña Luisaaa!…

RICARDO. Ven aquí. No es una locura… ¿Os habéis olvidado
de que Bremón es un sabio? Diez años hace que persigue en
su laboratorio la obtención de una sustancia que diese a los
humanos la inmortalidad… ¡Y la ha encontrado!…

LAS DOS. ¡Dios mío!

---

38 *obelisco*: pilar muy alto que sirve de adorno en lugares públicos.

12 Jardiel compara al doctor Bremón con varios inventores y descubridores, algunos de los cuales toparon con la incomprensión de sus contemporáneos. Ben-
jamin Franklin (1706-1790) inventó el pararrayos tras descubrir que los relám-
pagos estaban cargados de electricidad; Nicolás Copérnico (1473-1543) defendió
que la Tierra daba vueltas alrededor del Sol; Robert Stephenson (1781-1848)
inventó la locomotora de vapor; Isaac Newton (1642-1727) formuló la teoría de
la gravitación universal; y Galileo Galilei (1564-1642) confirmó las teorías helio-
céntricas de Copérnico.

HORTENSIA. Explíquese usted, Ceferino. La emoción me ahoga.

BREMÓN. Hace diez años, como ha dicho Ricardo, que se me ocurrió buscar una sustancia que, al ser ingerida, impidiese la vejez y la muerte. Senté mi trabajo en un razonamiento sencillo. Yo me decía: la causa de la muerte por vejez es el empobrecimiento, el desgaste, la decadencia de los tejidos humanos. Ahora bien, cualquier sal tiene condiciones para conservar la materia muerta.

RICARDO. Véase el bacalao, la mojama...[39]

BREMÓN. Luego todo consistía en encontrar una sal que, convenientemente tratada, conservase los tejidos vivos.

HORTENSIA. Sí, sí...

VALENTINA. Claro, claro...

BREMÓN. La sal buscada la encontré en las algas marinas, que son sumamente ricas en materias orgánicas.

VALENTINA. Hay que ver, en las algas...

BREMÓN. Mi preparado no es, por lo tanto, más que un extracto de *alga frigidaris*,[13] transformada y hecha asimilable por procedimientos químicos.

VALENTINA. Y tomando eso, ¿no se muere uno nunca?

HORTENSIA. ¿Y se es siempre joven?

BREMÓN. Tomándolo, la resistencia de los tejidos es ilimitada. Y el que es joven, se conserva joven, y el que es viejo, rejuvenece. Descubierta la sal en 1854, tengo ya en casa moscas de trece años de edad, gusanos de seda de dieciocho y conejos de tanta experiencia que cuando ven un cazador se suben a los árboles.

VALENTINA. ¡Increíble!...

---

39 *mojama*: carne de atún salada y desecada, que se vende en tiras.

13 Jardiel juega con la palabra latina *frigidarius*, que significa 'refrescante', y da así a entender el efecto rejuvenecedor de la fórmula inventada por Bremón.

RICARDO. ¡Viva Bremón! *(Va al cordón de la campanilla y tira.)*

HORTENSIA. El descubrimiento da vértigo…

RICARDO. Vamos a ser felices… Y por una eternidad… Es la primera vez que un enamorado puede preguntar con razón: «¿Me querrás siempre?».

VALENTINA. Y la primera vez que una enamorada puede contestar, segura de cumplirlo: «Siempre».

HORTENSIA. Por lo que afecta a nosotros, Ceferino, nos diremos eso muy pronto…

BREMÓN. Muy pronto, Hortensia… De aquí a treinta años.

LUISA. *(Apareciendo en el foro, teniendo detrás en actitud expectante a* MARÍA, ADELA, CATALINA, JUANA *y* JOSÉ.*)* ¿Llamaban los señores?

BREMÓN. Sí, traiga usted un jarro de agua y unos vasos.

RICARDO. Y los pasteles y el *champagne.* Y cerrad…

LUISA. Sí, señor… Sí, señor… *(Se va, cerrando la puerta.)*

RICARDO. Hay que brindar antes de tomarnos las sales.

BREMÓN. Aquí están. *(Saca un frasquito del bolsillo.)*

VALENTINA. ¿Ese tan chiquitín es el frasco de las sales?

RICARDO. ¡Qué frasquito más salado!…

HORTENSIA. ¡Que en un sitio tan pequeño quepa una cosa tan grande!… *(Suenan unos golpes en el foro.)*

RICARDO. Adelante… *(En la puerta aparece* EMILIANO, *con la cara más triste que nunca, sin cartera y sin gorra.)*

BREMÓN. Pero hombre, ¿otra vez aquí?

VALENTINA. Viene a que le firmes un certificado.

EMILIANO. No. Ya no, señorita Valentina.

RICARDO. ¿Te conoce?

EMILIANO. Soy ya como de la casa, don Ricardo… Me he pasado aquí todo el día, preocupado por los asuntos de usted, y, en vista de ello, me han formado expediente para echarme del Cuerpo.

RICARDO. ¡Caramba!... Pues no sabe cuánto lo siento...

EMILIANO. Más lo siento yo que me encuentro a los cuarenta años sin poder dar de comer a mis hijos.

HORTENSIA. ¡Desventurado!...

BREMÓN. ¿Cuántos hijos tiene usted?

EMILIANO. Ninguno. Por eso digo que me encuentro sin poder dar de comer a mis hijos.

BREMÓN. ¡Hombre, eso me ha hecho gracia! Pues no se preocupe: yo lo tomo a mi servicio de ordenanza. Por ahora, no tendrá usted nada que hacer.

EMILIANO. Entonces ya verá usted qué bien cumplo...

RICARDO. Y de momento, dígale al ama de llaves que se dé prisa.

EMILIANO. Sí, señor. *(Se va, cerrando la puerta.)*

VALENTINA. ¡Dios mío, no morirse nunca!...

HORTENSIA. ¡Y ser siempre jóvenes!...

RICARDO. Y asistir a los cambios que sufrirá el mundo...

BREMÓN. Sí, pero más bajo; que no nos oiga nadie. Si se llegara a divulgar el secreto, todo el mundo querría tomar las sales, y se nos perseguiría, se nos asediaría; incluso pondrían sitio a esta casa... para ser todos desdichados, pues una Humanidad inmortal acabaría haciendo la Tierra inhabitable. Solo seremos inmortales nosotros cuatro.

EMILIANO. *(Abriendo la puerta del foro.)* Y un seguro servidor.

TODOS. *(Volviéndose.)* ¿Eh?...

BREMÓN. ¿Cómo dice, cartero?

EMILIANO. Ex, ex cartero. Digo, patrón, que cuando Emiliano Menéndez se propone enterarse de una cosa, se entera. Y que si no me dan a mí también una racioncita de la sal que ha descubierto usted, monstruo de la Ciencia, pues lo cuento.

TODOS. *(Aterrados.)* ¡Que lo cuenta!...

EMILIANO. Aprendo el francés para contarlo en dos idiomas... Porque ustedes comprenderán que esto de poder tomar una cosa para no morirse nunca no ocurre todos los jueves, y sería yo el cretino mayor del Reino si perdiera esta ocasión, que es lo que se dice una ganga… Así es que vayan preparando mi sal… ¡Venga sal!

BREMÓN. ¿Sal? *(Suenan unos golpecitos en la puerta del foro.)*

EMILIANO. ¡Sal! ¡Sal! ¡Sal!… Digo… entra… Es doña Luisa. *(Entran* LUISA *y* MARÍA *con el champagne y los pasteles, el agua y los vasos.)*

RICARDO. Dejadlo todo aquí… Y marchaos inmediatamente sin quedaros a escuchar detrás de la puerta.

LUISA. Sí, señorito.

MARÍA. Nada, que no nos enteramos.

LUISA. No, hija; no nos enteramos. *(Se van por el foro.)*

EMILIANO. ¡Pobrecillas!… ¡Pensar que las dos acabarán muriéndose!… ¡Qué idiota es la gente!… Conque, ¿me va usted a dar la sal, doctor, o…? *(*EMILIANO *cierra la puerta cerciorándose de que nadie escucha.)*

BREMÓN. Consiento en dársela, a cambio de su silencio.

EMILIANO. Muy bien.

BREMÓN. Pero tiene que jurar guardar nuestro secreto…

EMILIANO. ¡Hombre! No le digo que lo guardaré hasta la tumba porque nosotros no vamos a ver la tumba más que en fotografía; pero seré sordomudo eternamente, señor Bremón. *(Entre* RICARDO *y* BREMÓN *han preparado las sales.)*

RICARDO. Esto ya está. Podemos brindar cuando quieran.

BREMÓN. El brindis corre a su cargo, Hortensia.

HORTENSIA. ¿Brindo en verso o en prosa?

EMILIANO. ¿No puede brindarse más que en verso o en prosa?

BREMÓN. En verso, en verso, que es lo suyo, Hortensia.

HORTENSIA. A ver qué tal sale. *(Levantan sus copas los cinco.)*

> Por la burla cruel que a la muerte le hacemos;
> por la inmortalidad, que ya no tiene duda…

Por el vivir eterno y dichoso… ¡Brindemos
con *champagne* de la Viuda!

VALENTINA. ¡Bravo!…

RICARDO. Inspiradísimo…

BREMÓN. ¡Qué alusión tan delicada a la señora del pobre Clicquot, muerto el mes pasado![14] *(Beben todos.)* Y ahora, la sal;
tomen ustedes. *(Les da sendos vasos de agua y echa en cada
uno de ellos un poquito de sal.)*

EMILIANO. Écheme a mí un poco más, doctor, que esto está soso.

BREMÓN. Y ahora con decisión. De un golpe. ¡Venga!

HORTENSIA. ¡Qué momento!… *(Beben; se miran en silencio y
reaccionan dándose las manos mutuamente y abrazándose.)*

UNOS A OTROS. ¡Inmortales!… ¡Inmortales!… ¡Inmortales!…

EMILIANO. *(Dando un grito.)* ¡Ah!… Corujedo… *(Se escapa por
el foro.)*

TODOS. ¿Eh? ¿Qué le pasa?

VALENTINA. ¿Adónde va?

RICARDO. Algo gordo se le debe haber ocurrido. *(Por el foro
vuelve* EMILIANO, *trayendo casi a pulso a* CORUJEDO.)*

EMILIANO. Venga acá, que le ha llegado su hora… El señor es
agente de seguros de vida; un negocio nuevo. Y ahora mismo
nos va a asegurar las vidas a los cinco. Pero con unos seguros
fuertes, muy fuertes…

CORUJEDO. ¿Cien mil reales?…

EMILIANO. Más. Tres millones de reales… ¡Cuatro millones de
reales a cada uno!… A beneficio del propio asegurado.

CORUJEDO. ¿Por cuántos años?

EMILIANO. A cobrar dentro de setenta y cinco años.

---

14 Bremón alude a la esposa del francés Jean Clicquot, que, tras enviudar en 1805 a
la edad de 27 años, heredó de su marido una empresa de fabricación de cham-
pán, creó la prestigiosa marca *Veuve de Clicquot* e inventó el amarre metálico
que tienen las botellas de vino espumoso para impedir que el corcho salte.

BREMÓN. Espléndido. Una idea genial. Eso es, a cobrar dentro de setenta y cinco años. ¿En esas condiciones las primas de pago serán muy pequeñas, verdad?

CORUJEDO. Sí, claro, pequeñísimas. Pero usted, ¿cuántos años tiene?

BREMÓN. Cincuenta y cinco.

CORUJEDO. Pues le advierto que si no cumple usted los ciento treinta años no puede cobrar los cuatro millones del seguro...

RICARDO. ¡Toma! ¡Claro! Y esa señora los cobrará a los ciento quince, y esta señorita, a los ciento cinco, y yo, a los ciento diez.

EMILIANO. Y yo, a los ciento diecinueve.

CORUJEDO. *(Turulato.)*[40] ¿Y ustedes creen que van a vivir hasta entonces?

TODOS. Seguramente...[41] Pues claro... ¡Ya lo creo que sí!

EMILIANO. ¿Usted sabe la salud que tenemos?

BREMÓN. ¡Tenemos una salud estupenda!

CORUJEDO. Bueno, son idiotas los cinco. *(Se sienta. Todos le rodean para firmar las pólizas.)* ¿Los apellidos de usted, doña Hortensia...?

TELÓN

---

40 *turulato*: pasmado.
41 *seguramente*: aquí, 'sin duda'.

ACTO SEGUNDO

Un claro de selva en una isla desierta del océano Pacífico. En la izquierda, se ve un lanchón volcado, con la quilla mirando al cielo,[1] que se pierde en el lateral. En el lanchón hay abiertas dos ventanas y una puerta… Y en lo alto de la quilla, una chimenea. Todos estos detalles quieren decir que el lanchón sirve de casa habitable a los ciudadanos que pueblan la isla.

En el fondo, bosque. Y en la derecha, árboles, que constituyen la salida de dicho lateral. Por detrás y por delante del lanchón, en la izquierda, otras dos salidas. A ambos lados de la puerta del lanchón, bancos hechos toscamente con maderas de cajones de embalar. Y en la derecha, un tronco de árbol y una mesa con libros, varios útiles de laboratorio, frascos, tubos de ensayo, etcétera. Delante del lanchón, un poco hacia la izquierda, una tosca cocina de piedras y, suspendido sobre ella, sujeto de unas estacas, un caldero. Junto a la cocina, cacharros, cazos, espu-

---

1 *lanchón*: bote grande de vela y remo; *quilla*: pieza larga y arqueada que llevan los barcos en su parte inferior, a modo de columna vertebral.

maderas, etcétera. En la izquierda, pegado al lanchón, un grueso árbol, con abundante ramaje. Clavado en el tronco, un espejo, y colgados de las ramas del árbol, por medio de cuerdecitas, diferentes utensilios de tocador, peines, cepillos de cabeza y de dientes, brochas de afeitar, máquinas Gillette, estuches de Cútex,[1] tijeras, etcétera. Entre el árbol y el lanchón, una hamaca tendida. Colgados también a la puerta del lanchón, armas blancas y de fuego y dos o tres «boumerangs».[2] En el costado del lanchón, un reloj de sol, toscamente construido, pero que no señala hora alguna, porque no luce el sol. Encima de la puerta del lanchón, un letrero que dice:

RESIDENCIA DE NÁUFRAGOS VOLUNTARIOS

Es en las primeras horas de la mañana, y, como se ha dicho, sesenta años más tarde de la época en que se desarrolló el primer acto.

Al levantarse el telón, en escena BREMÓN y RICARDO. BREMÓN representa ocho o diez años menos que en el acto anterior y tiene un aire más fuerte y saludable. RICARDO está igual que en el otro acto, pero tostado del sol; ambos visten pantalón corto y polainas[3] y chaqueta de cuero o suéter. BREMÓN se halla sentado en el tronco del árbol de la derecha, con los codos apoyados en la mesa, leyendo un libro. RICARDO está tumbado en la izquierda, en el suelo, durmiendo.

EMPIEZA LA ACCIÓN

Hay una pausa, durante la cual BREMÓN *no levanta los ojos de la lectura. Al cabo de la pausa, se oye el canto de un gallo, que suena en la parte alta del lanchón, un poco hacia la izquierda. El canto del gallo se repite dos veces, y a la segunda vez, se abre la puer-*

---

2 *boumerang*: arma arrojadiza formada por una lámina de madera encorvada que, lanzada con movimiento giratorio, puede volver al punto de partida.

3 *polainas*: calcetines gruesos que cubren la pierna hasta la rodilla.

1 Cútex es una marca de productos para la manicura y la belleza femenina.

ta del lanchón y aparece EMILIANO. *También* EMILIANO *está algo más joven que en el primer acto. Viste un traje de verdadero Robinsón, hecho con pieles de animales,*[2] *porque es el único del grupo de habitantes del lanchón que está viviendo la novela del naufragio y recreándose en ella.*

EMILIANO *avanza en el momento en que el gallo canta por tercera vez.* EMILIANO *consulta el reloj de sol y hace un gesto de contrariedad.*[4]

EMILIANO. Ese gallo va atrasado. *(Coge uno de los fusiles del lanchón, se lo echa a la cara y dispara. Cae en escena un gallo muerto.)*

BREMÓN. ¿Qué pasa? ¿Qué haces? *(*RICARDO *gruñe y se vuelve del otro lado.)*

EMILIANO. Parar el reloj, doctor, que no hay manera de hacer carrera con él; y después que me he pasado dos años amaestrándole para que dé las horas cuando las señale el reloj de sol que usted fabricó, resulta que el día que amanece nublado y nos falla el reloj de sol, nos falla el gallo. Y ya estoy harto…

BREMÓN. *(Consultando un reloj de bolsillo muy antiguo.)* Son las nueve y media.

EMILIANO. ¿Ya?

BREMÓN. Se me han ido las horas en un vuelo.

EMILIANO. Otra noche que se ha pasado usted en claro, dándole que te pego al cerebro…

BREMÓN. ¿Y qué voy a hacer, Emiliano?

EMILIANO. ¿Se le ha ocurrido a usted alguna otra de esas cosas fenomenales que se saca usted de debajo del pelo y que…?

---

4 *contrariedad*: fastidio.

2 Jardiel se refiere al personaje protagonista de la novela *Robinson Crusoe* (1719), del escritor inglés Daniel Defoe (1660-1731). Tras naufragar en una isla desierta, Robinson sobrevive a las más adversas condiciones adaptándose con ingenio y laboriosidad al medio hostil de la isla. Para ello, entre otras cosas, se confecciona un atuendo con pieles de cabra.

BREMÓN. ¿Quién sabe, Emiliano? ¿Quién sabe?

EMILIANO. Me da usted miedo, porque como tiene usted más talento que Matías López...[3] Con su permiso, voy a encender fuego para calentar agua y poder desplumar el reloj. *(Cogiendo el gallo.)* No digo que va a ser un almuerzo de los que den la hora, porque ya ha visto usted lo mal que la daba; pero un arroz con gallo muerto siempre es una solución. Y como si yo no hiciera de ama de casa aquí no se almorzaría, ni se comería, ni se viviría... *(Deja el gallo sobre la cocina y, cogiendo dos pedazos de madera y unos yerbajos, se sienta a frotar las maderas para hacer fuego.)* Es decir, se viviría por aquello de que no podemos morirnos; pero lo que es porque nadie tenga ganas de vivir...

BREMÓN. Tan verdad es eso, que muchas veces he pensado que, de todos nosotros, el único capacitado para la inmortalidad eres tú, Emiliano.

EMILIANO. Pues ya ve usted: si no ando listo, no tomo las sales aquel día... ¿Se acuerda usted?

BREMÓN. Sesenta años hace...

EMILIANO. ¿Sesenta años? Sí, claro; si yo el viernes cumplí los ciento tres... ¡Y pensar que todavía no me ha salido la muela del juicio!...

BREMÓN. ¿Quién sabe los siglos que tardará aún en salirte?

EMILIANO. Por más que le doy vueltas a la cabeza, no acabo de hacerme a la idea de cuántos años puede uno vivir no muriéndose nunca.

BREMÓN. Se puede vivir eternamente; pero la eternidad se escapa al cálculo.

EMILIANO. Lo único malo es que, sabiendo que no va uno a morirse nunca, siente uno el terror de no tener el dinero sufi-

---

3 Al madrileño Matías López (1826-1891) se le citaba a menudo como ejemplo del hombre trabajador y despierto porque fundó una importante empresa chocolatera y llegó a senador pese a su origen humilde.

ciente para vivir siempre, y por eso nos hemos hecho tan ro-
ñicas...

BREMÓN. Y tan egoístas.

EMILIANO. Es verdad; pero da un gusto... No me explico la desesperación de ustedes, porque a mí esto de haber cumplido el
viernes los ciento tres y notarme más joven que cuando era
cartero, me pone alegrísimo. Y haber conservado las mismas
botas...

BREMÓN. ¿Las mismas botas?

EMILIANO. *(Alargando un pie.)* Fíjese: las que llevaba aquella
tarde. Se me ocurrió untarlas con las escurriduras[5] del agua
de sales que quedaban en los vasitos, y desde entonces, ni medias suelas...[6] *(*BREMÓN *se ríe.)* ¡La primera vez que le veo a
usted reír desde la guerra de los bóers,[4] señor Bremón!

BREMÓN. ¡Hombre, no! Acuérdate de que me reí dos veces en el
verano del setenta, cuando la guerra franco-prusiana...[5]

EMILIANO. ¿La franco-prusiana? ¡Ah!... Sí. Bueno, es que ha conocido uno una de guerras... ¿Cuántas guerras habremos conocido nosotros, señor Bremón?

BREMÓN. Contando esta última grande de mil novecientos catorce, y sin contar las de los Balcanes, quince, y contando las
de los Balcanes, noventa y nueve.[6]

EMILIANO. Y cuando había guerra siempre decían que era la última, ¿verdad, usted?

---

5 *escurriduras*: las últimas gotas que quedan en un vaso.

6 *media suela*: pieza con que se remienda la suela del calzado.

4 Emiliano debe de referirse a la segunda guerra de los bóers, que tuvo lugar
entre 1899 y 1902. En ella, Inglaterra se enfrentó a los colonos holandeses (los
bóers) que se habían asentado en Sudáfrica para controlar la zona, muy rica en
minas de diamantes. No obstante, por el comentario posterior de Bremón, la
alusión de Emiliano es un anacronismo.

5 La guerra entre Francia y Prusia tuvo lugar entre 1870 y 1871.

6 «La guerra de 1914» es la Primera Guerra Mundial, que duró cuatro años. Las
guerras en la zona de los Balcanes, situada en el sudeste de Europa, fueron muy
numerosas durante las últimas décadas del siglo XIX y las primeras del XX.

BREMÓN. Sí, pero nosotros no nos lo creíamos.

EMILIANO. ¡Hombre, claro! ¡Como que a nosotros no hay quien nos la dé! Hemos visto mucho.

RICARDO. *(Incorporándose de mal humor.)* Bueno, ya está bien. ¡Ya está bien!...

EMILIANO. ¿Eh?

BREMÓN. ¿Qué hay, Ricardo?

RICARDO. Primero, tiros; luego, charla... Ya ni dormir le dejáis a uno... Ni dormir, que es tanto como olvidar que se vive... Y que es lo único que uno puede hacer a gusto. ¡Maldita sea mi suerte!... ¡Y maldito sea el día que consentimos lo que consentimos! ¡Que no le valiera a uno más que...! *(Coge la manta y con la manta arrastrando inicia el mutis tercera derecha.)*[7]

BREMÓN. ¿Adónde vas?

RICARDO. A la orilla del pantano otra vez... A ver si quiere Dios y los mosquitos que sea hoy el día en que... ¡Maldita sea, hombre!... *(Se va.)*

BREMÓN. ¿Lo ves? Como yo no lo remedie... aquí va a acabar ocurriendo una catástrofe.

EMILIANO. Vamos, doctor, no sea usted pesimista. *(Por la puerta del lanchón sale* VALENTINA, *igual de aspecto físico que en el acto anterior, vestida también con traje de campo y con el mismo aire de persona harta de la vida que tenía* RICARDO. *Mira con absoluta indiferencia a* EMILIANO *y a* BREMÓN *e inicia el mutis por la izquierda.)*

BREMÓN. Buenos días, Valentina.

EMILIANO. Buenos días.

VALENTINA. *(Glacial.)*[8] Hola. *(Se queda mirando a los dos con lástima y hay una pausa embarazosa.)*

---

7 Es decir, 'comienza a salir de escena por la parte posterior derecha del escenario'. Dividido el escenario en tres partes, la *tercera* es el tercio que queda más al fondo.

8 *glacial*: muy fría.

EMILIANO. Aquí, encendiendo lumbre para el almuerzo.

VALENTINA. También tiene usted ganas de entretenerse en tonterías...

EMILIANO. Si me dicen a mí alguna vez que almorzar podía considerarse como una tontería...

BREMÓN. ¿Te levantas ahora?

VALENTINA. Sí, y me voy al claro de palmeras de ahí al lado a echarme un rato...

BREMÓN. ¿No te encuentras más animada?

VALENTINA. ¿Es que hay algún motivo nuevo para animarse?

BREMÓN. No, claro, pero...

VALENTINA. Que ha amanecido un día más; y ¿qué significa para nosotros un día más? Un día más de bostezar, de vegetar, de mirarnos unos a otros a las caras... ¡Si fuera un día menos!... En fin, no tengo ganas de conversación. (*Se va primera izquierda.*)

BREMÓN. ¿Te das cuenta? Está igual que él... e igual que todos, menos tú...

EMILIANO. ¿Quién los ha visto y quién los ve a esta pareja? Me parece que los tengo delante el día que se casaron, meses después de tomarnos las sales: tan felices y contentos. Fue un martes del año sesenta y dos.[7] El niño que llevó la cola murió luego de fiscal del Supremo;[8] ¿se acuerda usted? Uno con barba y chaleco gris...

BREMÓN. Me acuerdo, Emiliano, me acuerdo. Y me acuerdo como si fuera ayer del nacimiento de los hijos de Valentina y Ricardo...

EMILIANO. Elisa y Federico. ¡Qué viejos estaban ya el día que nos despedimos de ellos para retirarnos a la isla!...

---

7 Dado que las sales se las tomaron en 1860, es del todo imposible que Valentina y Ricardo se casaran "meses después" en el año "sesenta y dos".

8 El *fiscal* es el funcionario que ejerce la acusación en un juicio; *el Supremo* es el Tribunal Supremo, el más alto en la jerarquía judicial.

BREMÓN. Pues cuenta: Elisa tiene ahora cuarenta y seis y Federico, cincuenta y uno.

EMILIANO. Entonces, ¿la hija?

BREMÓN. ¿La nieta de Ricardo y Valentina?

EMILIANO. Eso es, Margarita; andará ya cerca de los veinte años, ¿no, doctor?

BREMÓN. Ha cumplido ahora los dieciocho, porque nació en mil novecientos dos…

EMILIANO. ¡Cómo pasa el tiempo!

BREMÓN. En su última carta recibida aquí le decía a sus abuelos que tiene relaciones formales para casarse.

EMILIANO. Y la cuestión es que al principio todo fue bien.

BREMÓN. Sí, los primeros treinta años, sí; cada cual cumplió sus sueños. Pero todas nuestras amistades se nos morían de vejez.

EMILIANO. Yo eché una vez la cuenta, y hemos asistido a tres mil doscientos entierros, doctor… ¡Lo que me tengo reído!

BREMÓN. Pero no me negarás que es para deprimir a cualquiera. Todo el mundo pensaba de diferente manera que nosotros; al principio, solo estábamos de acuerdo con los viejos, y más tarde, ni con los viejos siquiera, porque ya pertenecían a otra generación, y hasta los viejos resultaban para nosotros demasiado jóvenes. Las ciudades se nos hacían inhabitables…

EMILIANO. Dígamelo usted a mí, que, últimamente, para poder cruzar cada calle tomaba un taxi…[9]

BREMÓN. Y gracias a que ideé yo esto de retirarnos a una isla desierta…

EMILIANO. Que nos costó lo nuestro, porque es que no queda ya una isla desierta ni para criar un galápago.[9] Treinta y dos

---

9 *galápago*: tortuga lacustre o marina.

9 Jardiel siempre fue crítico con el progreso tecnológico, y defendió que «No hay más progreso que el moral».

anuncios puse en *La Correspondencia de España*,[10] diciendo: «Isla desierta para un apuro, necesítase». Y como si no...

BREMÓN. Y menos mal que descubrimos esta pequeña colonia norteamericana, en la que no hay fieras ni salvajes...

EMILIANO. No. Fieras no hay en la isla. Yo la he recorrido de largo a largo y de ancho a ancho, y no he visto fieras. Cocodrilos, leones y tigres, sí hay. Pero fieras, lo que se dice fieras, ni una. Ahora, salvajes...

BREMÓN. ¿Qué?

EMILIANO. Anteayer descubrí una cosa que no he querido decir a nadie...

BREMÓN. ¿Cómo?

EMILIANO. Ahora que no nos oyen los demás, a usted sí quiero comunicárselo, porque, aunque científico, usted es todo un hombre, doctor.

BREMÓN. ¡Emiliano, me alarmas!

EMILIANO. Anteayer, señor Bremón, al salir del lanchón por la mañana, igual que hoy, y dirigirme a los corrales, a ver si había puesto huevo la avestruz, porque ya sabe usted que el día que la avestruz pone huevos tenemos ya tortilla para todo el mes...

BREMÓN. ¿Qué? Acaba...

EMILIANO. Pues que al lado de la empalizada de los corrales, en el suelo, descubrí la huella de un pie humano...

BREMÓN. ¿De un pie humano?

EMILIANO. Sí, señor. Un pie desnudo, grande: un cuarenta y tres, horma[10] ancha, que no corresponde ni a usted ni a Ricardo ni a mí; pero que, además, como le digo, era un pie desnu-

---

10 *horma*: molde que se emplea para dar forma al zapato.

10 El periódico *La Correspondencia de España* se publicó en Madrid entre 1859 y 1925. Jardiel Poncela colaboró en él desde 1919 con novelas por entregas, cuentos, dramas y otros escritos.

do. Las huellas se alejaban hacia el norte...[11] Las seguí por espacio de una hora y me condujeron hasta el lago, y al llegar allí perdí las huellas y el reloj, que llevaba en este bolsillo *(El del pecho.)*, al inclinarme sobre el agua. Un reloj que me regaló mi madre el día que se casó Isabel II[12] y que andaba cada vez mejor, porque también lo unté con las escurriduras de las sales.

BREMÓN. Bueno, pero ¿las huellas?

EMILIANO. Pues de las huellas no he descubierto más, pero ya es bastante, porque demuestra que la isla no está desierta, doctor.

BREMÓN. Claro, claro...

EMILIANO. Y que el habitante misterioso va descalzo; así que o es un salvaje o un naturista...[11]

BREMÓN. ¡Un salvaje, Emiliano, un salvaje! Estoy seguro, porque nosotros llevamos cinco años moviéndonos en la isla con entera libertad y él ha tenido que oír alguna vez nuestras voces y tiros, y ver el humo de la cocina... Si fuese un náufrago habría venido aquí, al oírnos. Pero cuando nos rehúye, es que es un pobre salvaje que nos tiene miedo...

EMILIANO. *(Que frota con verdadera furia los dos pedazos de madera.)* ¡Calle!

BREMÓN. ¿Qué pasa?

EMILIANO. Calle... calle... calle... ¡Ya!... ya... *(De las dos maderas brota una pequeña llama que se acaba en seguida.)* ¡Maldita sea!... Pero ¿usted ve esto? Cinco años queriendo encender fuego por el procedimiento de frotar dos maderas, y las

---

11 *naturista*: nudista, persona que va desnuda para sentirse más integrada en la naturaleza.

11 Jardiel remeda el pasaje de *Robinson Crusoe* en que el famoso náufrago descubre la huella de un ser humano en la arena y deduce que no está solo en la isla.

12 Isabel II, que reinó en España entre 1833 y 1868, contrajo matrimonio con su primo Francisco de Asís en 1846.

dos únicas veces que, después de sudar a chorros, he logrado hacer llama, me la apaga el sudor... Lo que es si no fuera porque tenemos cerillas en abundancia... *(Saca una caja de cerillas, prende la cocina y pone el caldero.)*

BREMÓN. Te están fallando todos los procedimientos de los Robinsones, Emiliano.

EMILIANO. Sí, señor. Lo único que me ha salido bien fue una vez que me puse a averiguar la hora que era al mediodía y me resultó que las doce y media. Pero cuando he querido saber la velocidad del viento, el total no me dio más que muchísima; y si es el problema de la cocina...

BREMÓN. Pues hombre, yo te traje un manual de culinaria, que...

EMILIANO. Usted me trajo un manual de culinaria, pero para ciudades, no para islas desiertas. Todas las recetas empiezan igual: «Se coge un conejo...»; «Se coge una perdiz...». Pero lo que no dice es cómo hay que cogerlos, que es lo grande.

BREMÓN. Cazándolos.

EMILIANO. Sí... Pero hay que saber cazarlos. Cinco años he tardado yo en aprender a manejar el *boumerang.*

BREMÓN. ¿El *boumerang?*

EMILIANO. ¡Claro!... El arma de Robinsón.[13] *(Va a la fachada de la casa y coge dos* boumerangs.*)* ¿No ha oído usted hablar del *boumerang,* que se tira desde lejos, hiere la caza y vuelve solo al sitio desde donde se tiró?

BREMÓN. Sí, pero no había visto ninguno.

EMILIANO. Estos me los he hecho yo. Seiscientos catorce he perdido; pero ahora domino ya el manejo, y no me falla.

BREMÓN. ¿Y vuelve al sitio desde donde se tiró?

EMILIANO. ¿Que si vuelve? Fíjese. *(Tira el* boumerang *hacia la derecha. Una pausa; gira sobre los talones y queda esperándole*

---

13 En la novela de Daniel Defoe, Robinson Crusoe jamás usa el *boumerang.*

por la izquierda.) Verá, ya está al llegar... Ahora vendrá... No pierda ojo... Parece que tarda...

BREMÓN. Yo creo que no viene.

EMILIANO. Lo habré tirado flojo. Atienda usted a este otro. *(Tira el segundo* boumerang *con toda su alma hacia la derecha. Otra pausa, y ambos giran esperándole llegar por la izquierda.)* Este sí que viene, verá usted... Fíjese. No tardaremos en verle... *(Por el lado contrario, es decir, por la derecha, entra un* boumerang *y le arrea en la cabeza a* BREMÓN.)

BREMÓN. ¡Ay!... *(Cae al suelo.)*

EMILIANO. *(Recogiendo a* BREMÓN.) ¡Doctor!... ¡Doctor!... ¿Qué es eso?

BREMÓN. Un *boumerangazo*, Emiliano.

EMILIANO. Pero, ¿de dónde?

BREMÓN. De allí. *(Señala a la derecha.)*

EMILIANO. ¡Arrea!... Entonces es el primero. Pues cuando llegue el segundo, que lo he tirado con toda mi alma, al que lo pesque lo divide. ¡Doctor!... ¡Vaya!... Se ha privado del zurrido.[12] ¡Hortensia!... ¡Valentina!... ¡Ricardo!... Nada; no hacen caso. Claro; como no les interesa nada de este mundo y saben que nos pase lo que nos pase, no nos pasa nada... Les diré que se ha muerto, para que se animen... ¡Socorrooooo! ¡El doctor, muerto!... ¡Muertooooo!... ¡Muertooooo!... ¡Muertooooo!... ¡Fetén!...[13] *(Por el lanchón,* HORTENSIA, *escapada.)*

HORTENSIA. ¿Eh? Emiliano, ¿qué dices?

EMILIANO. ¡Muertooo!... *(Por la izquierda, a todo correr,* VALENTINA.)

VALENTINA. ¿Qué es eso de «muerto»?

EMILIANO. No está más que atontado, pero algo tenía que decir para que vinieran ustedes a echarme una mano...

---

12 Es decir, 'ha perdido el conocimiento a causa del golpe'.

13 *¡fetén!*: '¡de verdad!'; es una expresión coloquial procedente del caló.

HORTENSIA. ¡Ah! Vamos…

VALENTINA. Pues no tiene ninguna gracia la broma. *(Por la izquierda, ansiosamente, RICARDO.)*

RICARDO. ¿Muerto? ¿Que está muerto?

HORTENSIA. Desmayado, y gracias; no te hagas ilusiones…

EMILIANO. Estábamos aquí hablando, yo tiré dos *boumerangs* para demostrarle que vuelven al sitio, y uno de ellos le ha dado un zurrido tremendo. Ahora que les advierto a ustedes que tengan cuidado, porque el segundo *boumerang* no ha vuelto todavía, y cuando llegue, al que lo coja de lleno…

HORTENSIA. ¡Bah!…

VALENTINA. Bueno…

RICARDO. *Boumerangs… (Los tres hacen gestos despectivos e indiferentes.* HORTENSIA *se sienta en uno de los bancos de la fachada del lanchón.* VALENTINA *se tumba en la hamaca y* RICARDO *se sienta donde lo estaba al empezar el acto, a jugar distraídamente con dos piedrecitas.)*

EMILIANO. No sé a qué viene esa indiferencia, porque no podemos morirnos de viejos, pero de un trastazo en la nuca… yo creo que si se lo arrean a uno bien… *(Los tres se levantan muy contentos y esperanzados.)*

HORTENSIA. Pues es verdad…

VALENTINA. Es verdad…

RICARDO. ¡Caray, si fuera posible! *(Rodean a* BREMÓN, *a quien* EMILIANO *ha tendido en el tronco del árbol y al que espurrean*[14] *la cara con el agua del caldero.)* ¿Se habrá muerto?

HORTENSIA. ¡Dios mío, si se hubiera muerto!…

VALENTINA. Si resultase que podemos morirnos…

RICARDO. ¡Qué alegría!

VALENTINA. ¡Qué dicha!

EMILIANO. ¡Ya abre los ojos!… *(Desilusión en los tres.)*

---

14 *espurrear*: rociar.

HORTENSIA. } ¡Abre los ojos!…
VALENTINA. }

RICARDO. ¡Bah!… Ya abre los ojos…

BREMÓN. ¿Dónde estoy?

VALENTINA. Y dice «¿dónde estoy?».

RICARDO. Hasta dice «¿dónde estoy?».

EMILIANO. Era un desmayo. ¿Se siente usted mejor?

BREMÓN. Sí, hijo; gracias. Ya estoy bien. *(Se levanta.)*

VALENTINA. Nada…

HORTENSIA. Nada… *(Se sientan de nuevo las dos.)*

RICARDO. Pero quizá si el golpe hubiera sido más fuerte… *(Aparte.)* ¿Y por dónde dices que tiene que llegar ese otro *boumerang* que no ha vuelto aún?

EMILIANO. ¿El *boumerang* de las diez y cuarto? Por ahí. *(Señala a la derecha.)*

RICARDO. Lo esperaré, a ver si tengo la dicha de que me dé entre los dos ojos. *(Se cruza de brazos, de frente a la derecha, y queda inmóvil.)*

BREMÓN. Ricardo…

RICARDO. Déjame. Por lo menos, no me digas nada, y déjame. ¿Hay paludismo[15] en los trópicos?

BREMÓN. Sí, claro.

RICARDO. ¿Y si un hombre se pasa una noche tumbado en el borde de un pantano de una isla tropical, no tiene muchas probabilidades de despertar palúdico perdido a la mañana siguiente?

BREMÓN. Muchas probabilidades, Ricardo.

RICARDO. Pues no una; dieciséis noches llevo pasadas ya tumbado al borde del pantano, rodeado de nubes de mosquitos

---

15 *paludismo*: 'enfermedad infecciosa que provoca fiebres muy altas'. La produce un germen que se desarrolla en el agua estancada y que suele ser inoculado por ciertos mosquitos cuando pican.

de veintiocho especies diferentes, y en las dieciséis noches he engordado cuatro kilos…

BREMÓN. No sabes cómo lo lamento, pero…

RICARDO. Con lamentarlo no haces que me muera, Bremón; así es que déjame, porque para nosotros no queda ya más solución que el suicidio…

HORTENSIA. El suicidio…

EMILIANO. ¿El suicidio?

VALENTINA. ¿El suicidio, Ricardo?

BREMÓN. ¿El suicidio?

RICARDO. El suicidio, Bremón, y si no lo he llevado a cabo es porque me contienen mis ideas religiosas, pero no puedo aguantar la vida sin fin; ni tú tampoco… ni ninguno, fuera de Emiliano, y eso porque es muy bruto…

EMILIANO. Hombre, bruto…

RICARDO. Que si no, sería tan desgraciado como nosotros.

HORTENSIA. «No se acostumbra uno a la afrenta
　　　　ni al duro hierro, ni al cruel palo.
　　　　Por más que el alma se violenta,
　　　　no se acostumbra uno a lo malo».

BREMÓN. Eso es verdad, porque yo no puedo acostumbrarme a tus versos.

HORTENSIA. En otro tiempo me los pedías…

BREMÓN. Pero una eternidad poética es insufrible, Hortensia. Llevas escritos treinta y dos tomos.

EMILIANO. Y tiene tiempo por delante para llegar a los seis mil.

HORTENSIA. Es lo único que me hace olvidar a ratos la amargura a que nos has precipitado. Gracias a eso, no he caído del todo en la desesperación de Ricardo y de Valentina.

BREMÓN. Desesperación que ellos deberían sentir menos que ninguno, puesto que tienen algo bien digno de interés: sus hijos, sus…

Valentina. *(Dando un paso, enfurecida.)* ¡Cállese! Le he dicho otras veces que no nos hable de ellos… ¿Por qué recordárnoslos? A usted le consta que la vida entre los seres queridos, que es la base de la felicidad, resulta insoportable para los que estamos condenados a vivir siempre y a no envejecer nunca… y con su maldito descubrimiento ha logrado usted que tener hijos, en vez de ser una dicha, sea un tormento atroz. ¿Cómo se atreve a hablarnos de ellos?

Ricardo. ¿Ni cómo te atreves a hablarnos de nada? Se ama la vida porque se sabe que va a concluir; pero, cuando se sabe que no va a concluir, se la odia. Por eso la odiamos nosotros. La vida, que es movimiento constante, para nosotros se ha parado indefinidamente y, en lugar de correr como un río,[14] se ha estancado como un charco. Somos corazones con freno; a fuerza de saber que ellos latirán siempre, tenemos la impresión de que no laten ya. En realidad, es como si no tuviéramos corazón. Somos unos absurdos en pie. El ser más despreciable del mundo es más feliz que cualquiera de nosotros.

Hortensia. Y no pudimos resistir la vida civilizada, ni el contacto con unos semejantes que no tenían con nosotros nada de semejantes; creíamos que en una isla desierta la existencia se nos haría más tolerable… y ya ves…

Ricardo. ¿Qué hacemos ahora, agotado este último recurso?

Bremón. *(Sombríamente, como un eco.)* ¿Que qué hacemos?

Ricardo. Claro; tú eres el que tienes que decirlo… Tú fuiste el culpable de que llegáramos a esta situación… ¿Quién más que tú tiene que resolverla?

Valentina. Naturalmente…

Hortensia. Tú y solo tú, Ceferino.

Bremón. Yo no obligué a ninguno a tomar las sales…

---

14 La imagen del río como símbolo del transcurso de la vida tiene su origen en la Biblia (Ec., 1,7) y su formulación más famosa en unos versos de Jorge Manrique: "Nuestras vidas son los ríos / que van a dar en el mar / que es el morir".

VALENTINA. Solo hubiera faltado eso… Pero destruyó usted en nosotros toda posibilidad de paz.

HORTENSIA. Y de dicha.

RICARDO. Y debías haber sospechado adónde podías conducirnos… *(Han acorralado a* BREMÓN *con las palabras y la actitud.* EMILIANO, *que se había sentado a pelar el gallo, metiéndole previamente en el agua hirviendo, avanza y se interpone entre ellos, defendiendo al doctor.)*

EMILIANO. Bueno. ¡Esto se ha acabado!…

HORTENSIA. ⎫
VALENTINA. ⎬ ¿Eh?
RICARDO. ⎭

EMILIANO. Que se han terminado las quejas y los gritos. *(Tremolando[16] el gallo a medio desplumar.)* Que aquí no levanta el gallo nadie más que yo… Y ustedes no me acogotan[17] a este hombre porque a mí no me da la gana, y porque sería injusto… Porque el doctor… *(Dentro suena un tiro;* EMILIANO *se calla.)*

HORTENSIA. ⎫
VALENTINA. ⎬ ¿Qué es eso?

BREMÓN. Un tiro…

EMILIANO. ¿Un tiro?

RICARDO. Y ha sonado muy cerca…

HORTENSIA. Se oyen voces… *(Miran hacia la derecha.)*

BREMÓN. Alguien nos busca.

RICARDO. Por aquí… Por aquí.

EMILIANO. Son marineros… Americanos…

BREMÓN. ¿Americanos? *(Por la derecha aparecen, en efecto,* OLIVER MEIGHAN *y dos marineros americanos, armados de fusiles.*

---

16 *tremolar*: enarbolar, mostrar una cosa alzando la mano.
17 *acogotar*: asustar, acoquinar.

MEIGHAN *es un hombre de unos cincuenta años, seco, amable, dominante, pero ceremonioso.)*

MEIGHAN. ¿La colonia de náufragos voluntarios de la isla de Stanley?

BREMÓN. Esta es, caballero.

MEIGHAN. ¿Nos hallamos entonces, efectivamente, ante el doctor Ceferino Bremón y sus compañeros de retiro?

BREMÓN. Sí, señor; el doctor Bremón soy yo.

MEIGHAN. *(Inclinándose.)* Es para mí un placer inexpresable conocerle... Señoras... Caballeros... *(Se inclina.)*[15]

EMILIANO. Lo que se dice un tío fino.

MEIGHAN. Señores: por delegación mía, los cuarenta y ocho Estados de la Unión les saludan.[16]

BREMÓN. Cuarenta y ocho veces agradecidos, caballero; pero no comprendemos la causa de...

MEIGHAN. Van a comprenderla. Pero, siéntense, siéntense...

EMILIANO. De lo más fino.

MEIGHAN. Soy Oliver Meighan, del Ministerio de Colonias. Como ya sabrán, esta isla es una colonia norteamericana; ustedes la disfrutan a sus anchas y mi país me envía a decirles que se siente orgulloso y honrado de tenerles instalados en ella...

BREMÓN. Señor Meighan...

RICARDO. Caballero...

HORTENSIA. El colmo de la finura...

MEIGHAN. Pero que, naturalmente, eso hay que pagarlo...

---

15 Que la isla se llame Stanley sugiere que Jardiel tiene en mente el célebre encuentro entre el periodista Henry Morton Stanley y el explorador David Livingstone, que tuvo lugar en 1872 en Ujiji, a la orilla del lago Tanganica. Obedeciendo órdenes del director de su periódico, Stanley hizo un larguísimo viaje hasta el corazón de África para encontrar a Livingstone, a quien muchos daban por muerto. Al dar con él, lo saludó con la famosa frase: «El doctor Livingstone, supongo...».

16 Meighan se refiere, por supuesto, a los Estados Unidos de América.

Todos. ¿Cómo? ¿Que hay que pagarlo?

Meighan. Creo que hablo bien el castellano. No obstante, aquí traigo un diccionario.

Bremón. No, no; si lo hemos entendido.

Emiliano. Sí; lo hemos entendido, ¿verdad?

Ricardo. ⎫
Valentina. ⎬ Lo hemos entendido.
Hortensia. ⎭

Bremón. Pero, vamos, que nos extraña…

Meighan. ¿Les extraña? Sin embargo, de todos los sitios que uno habita se paga el alquiler… Ustedes llevan aquí cinco años; el precio al año es de seiscientos dólares por persona.

Ricardo. Muy caro…

Emiliano. Carísimo…

Meighan. Además, consumen productos naturales: leña, fruta, caza… En fin, el total de su deuda es de nueve mil trescientos dólares, y les hacemos un precio de saldo.

Emiliano. Pues no dice que «de saldo»…

Ricardo. Un precio imposible…

Emiliano. Un abuso…

Hortensia. Carísimo…

Valentina. Carísimo…

Bremón. Sí. Realmente algo inaceptable. Nosotros, por razones especiales, tenemos que mirar mucho lo que gastamos… Nos preocupa el porvenir, que es largo…

Emiliano. ¡Ahí le duele!… ¡Ahí le duele!… ¡Lo largo que es el porvenir!…

Meighan. ¡Bah!… A cambio de vivir a gusto, debe olvidarse un poco el porvenir… Después de todo, el día menos pensado se muere uno…

Ricardo. ¡Qué se va a morir uno, hombre!…

Bremón. ¡Qué se va uno a morir!…

HORTENSIA. }
VALENTINA. } ¡Morirse!...

EMILIANO. Sí, sí... Se morirá usted... Este no sabe que a nosotros nos hacen la autopsia y crecemos...

MEIGHAN. La isla no es cara. Solo este hermoso golpe de vista[18] que ofrece el bosque desde aquí, vale, mal pagado, trescientos dólares.

EMILIANO. El golpe de vista del bosque no vale ni dos reales, hombre. Como ese bosque, todos los que usted quiera se los dejo yo mirar por diecinueve pesetas uno con otro.[19]

MEIGHAN. Pero no me irán a negar que las playas...

BREMÓN. Perdone usted, señor Meighan, pero las playas sí que son una birria.

EMILIANO. Todas llenas de arena. ¡Un asco, hombre! ¡Un asco de isla!

MEIGHAN. No estoy de acuerdo con ustedes, pero veo con placer su desdén por esta colonia.

TODOS. ¿Eh?

MEIGHAN. Porque la misión que me trae es doble, y luego de cobrarles el alquiler de estos cinco años, las órdenes que traigo son las de desalojar la isla...

BREMÓN. ¿Desalojar la isla?

TODOS. ¿Desalojar la isla?...

EMILIANO. ¡Echarnos!

MEIGHAN. Justamente: para explotar estos terrenos. A los americanos, caballeros, nos sobran energías, y como además de sobrarnos energías, nos sobran hombres sin trabajo, a los que también les sobran energías, de aquí el que empleemos nuestras energías en emplear a nuestros hombres sin trabajo.

---

18 *golpe de vista*: 'perspectiva, panorama'; es un calco del francés *coup d'oeil*.

19 Es decir, 'compensando los que unos valen de más con los que otros valen de menos'.

EMILIANO. Es una conducta muy enérgica.

BREMÓN. ¿Y cómo van ustedes a explotar esta isla de Stanley, que está tan lejos del mundo habitado y que no produce nada de importancia?

MEIGHAN. Haremos de ella un lugar pintoresco, con vistas al turismo. Anunciaremos que es la auténtica isla donde naufragó Robinson Crusoe. Construiremos la casa de él en ruinas y mataremos a los primeros turistas que acudan...[17]

BREMÓN. ⎱
              ⎰ ¿Eh?
EMILIANO. ⎰

MEIGHAN. Para excitar la curiosidad universal, amigo mío, y que el mundo acuda en masa a visitar la isla.

EMILIANO. Es un procedimiento como para patentarlo.

MEIGHAN. Y por el momento, señores, lo que espero es el pago del alquiler. Yo he venido a cobrar, y cobraré... *(Sale un* boumerang *por la derecha, y le da a Meighan, que casi se desmaya.)* ¡Oh!...

TODOS. ¿Eh?

BREMÓN. Señor Meighan...

EMILIANO. ¡Ya ha cobrado!... ¡El *boumerang*, el *boumerang*... de las diez y cuarto! ¡Ja, ja! ¡Lo ha hecho polvo!... ¡Ja, ja, ja! *(Todos le rodean.)*

BREMÓN. No ha sido nada. No ha sido nada, señor Meighan. Un *boumerang* que hemos tirado hace un rato y que al volver inesperadamente...

MEIGHAN. Lo que ha ocurrido me lo explicarán ustedes a bordo, y el pago del alquiler espero recibirlo allí también...

BREMÓN. Sí, señor Meighan, sí, vamos.

---

17 La disparatada propuesta de Meighan remeda en parte el comportamiento de Robinson con los salvajes antropófagos que recalan en su isla a los veintitrés años de haber naufragado el héroe; pero también encierra una crítica de Jardiel al sistema consumista dominante en Norteamérica, tema central de otra de las obras del autor: *El amor solo dura 2.000 metros* (1941).

EMILIANO. Yo no le dejo a usted solo, doctor.

MEIGHAN. ¡Y mucho cuidado con lo que se hace! *(Mutis por la derecha de* MEIGHAN, EMILIANO, *el* DOCTOR *y los marineros.)*

VALENTINA. ¡No nos faltaba más que esto!…

HORTENSIA. ¡Está visto, no podemos ya vivir ni en una isla desierta!… *(Se va por la izquierda. Quedan solos* VALENTINA *y* RICARDO.*)*

VALENTINA. ¡A Europa!

RICARDO. ¡A Europa!

VALENTINA. Otra vez a la civilización, con todos los sufrimientos que la civilización reserva.

RICARDO. Y ni el paludismo, ni el *boumerang*, ni nada le mata a uno…

VALENTINA. No pienses más en conseguir la terminación de nuestros sufrimientos a costa de un pecado mortal.[18] Es preciso tener valor y resistir hasta el fin…

RICARDO. Hasta el fin… ¿Hasta el fin? Si para nosotros el fin no existe…

VALENTINA. Si hubiéramos podido presumir[20] que íbamos a llegar a esto…

RICARDO. Sí; si hubiéramos podido presumirlo…

VALENTINA. *(Acercándose a él y apoyándose en su hombro.)* Pero nos queríamos mucho…

RICARDO. ¡Mucho!…

VALENTINA. ¿Y qué enamorados no hubieran recibido con júbilo[21] una cosa que les permitía prolongar el amor años y años, infinitamente? ¿No recuerdas la emoción y la alegría con que aquella tarde, al tomarnos las sales, me dijiste: «¡Es la

---

20 *presumir*: sospechar.
21 *júbilo*: alegría muy grande.

18 En la religión católica, el suicidio se considera un pecado mortal, pues usurpa a Dios la facultad de decidir sobre la vida y la muerte de los seres humanos.

primera vez que un enamorado puede preguntar con razón si le van a querer siempre!»?

RICARDO. Sí, me acuerdo. Para la humanidad, hasta la palabra «siempre» tiene sentido limitado, y solo para nosotros tiene sentido exacto la palabra «siempre»… ¡Y es horrible!

VALENTINA. ¡Horrible!… ¡Pensar que hubo un día en que nos regocijaba la idea de que, gracias a la inmortalidad, conoceríamos nietos, biznietos, e hijos de biznietos y nietos de biznietos!… ¡Y, ya ves, ni la vejez de los hijos hemos podido resistir! Porque todos los padres, al envejecer y degenerar con los años, sienten el goce de contemplar la juventud arrogante de sus hijos, y nosotros hemos asistido a la decadencia y a la degeneración de los nuestros, mientras nosotros conservábamos una juventud que les correspondía a ellos. Y era como si se la robásemos.

RICARDO. Nuestra juventud, Valentina, no es más que exterior. Aunque no se envejezca, se envejece. Y yo ya tengo noventa y tres años y tú ochenta y ocho. Y por mucho que queramos olvidarlo, la verdad es que en nuestras almas, casi centenarias, ya no hay deseos, ni ilusiones, ni ensueños; ya no hay más que esa cosa helada que es la senectud.[22]

VALENTINA. Sin embargo, yo… Hay días que recobro los ánimos y pienso en que, si hiciésemos un esfuerzo sobre nosotros mismos, quizá lográramos vernos mutuamente de otra manera.

RICARDO. ¿De otra manera?

VALENTINA. Como antes… Como entonces…

RICARDO. (Rompiendo a reír.) Como entonces… Con dos hijos ya viejos… Con una nieta que no tardará en casarse… Y con casi un siglo en el alma… ¿Así crees que podemos llegar a vernos como antes? (Vuelve a reír.) Valentina, eres una vieja loca.

---

22 senectud: vejez.

VALENTINA. Ricardo…

RICARDO. Pues, claro, Valentina… No pienses más en eso. A mí el amor me parece ya una cosa grotesca, y a ti, aunque a veces lo dudes, también.

VALENTINA. *(Desesperada.)* Pero la vida así es un infierno…

RICARDO. Claro que lo es… ¿Te enteras ahora? *(Dentro, en la izquierda, se oye gritar angustiosamente a* HORTENSIA.*)*

HORTENSIA. ¡Ah!… ¡Ay!… ¡Socorro! ¡Socorro!…

VALENTINA. ⎫
           ⎬ ¿Eh?
RICARDO. ⎭

VALENTINA. ¿Qué pasa?

RICARDO. Es Hortensia… *(Por la izquierda aparece* HELIODORO. *Es un anciano viejísimo, que va completamente desnudo, a excepción de un pequeño taparrabos, y que está curtidísimo*[23] *por una constante vida al sol. Es el salvaje cuyas huellas ha descubierto* EMILIANO. HELIODORO *es de raza blanca, pero lleva en la isla setenta años y ha olvidado la lengua nativa, y solo emite sonidos inarticulados.*[19] *Una cabellera alborotadísima, absolutamente blanca, le cubre la cabeza y le cae en greñas por todos lados; y la cara la tiene invadida por unas barbas que, en su parte delantera, le llegan hasta cerca de las rodillas.* HELIODORO *aparece por la segunda izquierda, como si viniera huyendo, asustado de los gritos de* HORTENSIA. *Al verle,* VALENTINA *lanza un chillido de horror.)*

VALENTINA. ¡Ay!…

RICARDO. ¿Eh?

VALENTINA. ¡Aaaaaay!… *(Ante el chillido de* VALENTINA, HELIODORO *se asusta de nuevo, y, dando un brinco, cruza la escena y desaparece vertiginosamente por la derecha.* VALENTI-

---

23 *curtido*: con la piel endurecida por efecto del aire y el sol.

19 Parece ser que Alexander Schelnik, el personaje de la vida real que inspiró a Defoe la figura de Robinson, había olvidado en buena medida su idioma cuando finalmente fue localizado y rescatado.

NA, *aterrada, se refugia en los brazos de* RICARDO.*)* ¿Has visto? ¿Has visto?

RICARDO. ¡Un salvaje!... ¡Hay un salvaje en la isla!... ¡Espera! ¡No te muevas! *(Se suelta de ella e inicia el mutis por la derecha.)*

VALENTINA. ¡Ricardo!...

RICARDO. ¡He visto por dónde se ha ido! ¡Estate quieta aquí! *(Se va por el segundo término derecha.)*

VALENTINA. ¡No te vayas! ¡No me dejes sola!... ¡Oye!... *(Por el segundo término izquierda aparece* HORTENSIA, *todavía no repuesta del susto que le ha dado* HELIODORO.*)*

HORTENSIA. ¡Valentina!

VALENTINA. ¡Hortensia!... *(Se echan en brazos una de otra.)*

HORTENSIA. ¡Un salvaje!... ¡Era un salvaje!...

VALENTINA. ¡Un salvaje, sí!

HORTENSIA. ¿Le habéis visto?

VALENTINA. Pasó por aquí mismo, y, al gritar yo, huyó por ahí. Ricardo va detrás...

HORTENSIA. ¡Dios mío!... ¡He creído morirme del susto!... ¡Al cruzar la plazoleta de los cocoteros!... ¿Pero dices que huyó cuando tú gritaste?

VALENTINA. Sí.

HORTENSIA. Sería porque se asustaría de Ricardo. Porque yo me lo topé así de pronto y, en cuanto conseguí que me saliera la voz de la garganta, grité, y él, entonces, se me acercó...

VALENTINA. ¡Jesús!... ¿Se te acercó?

HORTENSIA. Sí, se me acercó; pero sin dar ninguna muestra de fiereza; más bien con un gesto seductor...

VALENTINA. ¿Con un gesto seductor?... ¿Será un sátiro[24] salvaje, Hortensia?

---

24 *sátiro*: hombre lascivo, con inmoderados deseos sexuales.

HORTENSIA. No sé; pero eso me aterró todavía más y empecé a pedir socorro, y al oírme pedir socorro, fue cuando huyó en esta dirección...

VALENTINA. Sí, sí...

HORTENSIA. ¡Dios me perdone, Valentina; no le he visto más que un instante, pero...!

VALENTINA. Pero ¿qué?

HORTENSIA. Que yo juraría que esos ojos de loco no me son desconocidos completamente.

VALENTINA. ¡Qué cosas tienes, Hortensia!

HORTENSIA. Claro que ha conocido una tanta gente en ciento un años de vida... *(Dentro, en la derecha, suenan voces.)* ¿Oyes?

EMILIANO. *(Dentro.)* ¡Sujételo por este lado, doctor!

RICARDO. *(Dentro.)* ¡Duro con él!

EMILIANO. *(Dentro.)* A ver si lo cogemos vivo...

BREMÓN. *(Dentro.)* ¡Cuidado!...[20]

EMILIANO. *(Dentro.)* Por aquí, por aquí.

BREMÓN. *(Dentro.)* ¡Ahí va! ¡Ahí va! ¡Ahí va! ¡Ahí va!

EMILIANO. *(Dentro.)* ¡Ya es mío!

RICARDO.
BREMÓN. } *(Dentro.)* Ya es nuestro, ya es nuestro...

VALENTINA. *(Mirando por la derecha.)* Son Emiliano y el doctor que volvían..., y míralos... Han cazado al salvaje ayudados por Ricardo. Ya vienen, ya vienen...

HORTENSIA. ¡Pobrecillo!... ¡Cómo lo traen!...

VALENTINA. Ya están aquí. *(Por la derecha* EMILIANO, BREMÓN, RICARDO *y* HELIODORO. *Los tres primeros traen a* HELIODORO, *cogido por las axilas y las corvas, en volandas,[25] de*

---

25 *corva*: parte de la pierna opuesta a las rodillas; *en volandas*: llevado en alto.

20 Jardiel parece olvidar que Bremón y Emiliano son obligados por Meighan a acompañarlo al barco minutos antes.

manera que el salvaje no toca el suelo y lo único que le arrastra por la tierra son las barbas.)

EMILIANO. Doctor, recójale las barbas, que se las voy pisando...

RICARDO. Trae, le haremos un nudo, que estará más cómodo. *(HELIODORO se debate indignado.)* ¡Caray, qué genio tiene!...

BREMÓN. Soltadle, dejadle tranquilo, no le forcemos a nada. Tened en cuenta que está acostumbrado a la libertad más absoluta...

RICARDO. Y cuidado, no se nos largue. *(Entre EMILIANO y él le colocan en el tronco del árbol. Le rodean todos contemplándole.)*

EMILIANO. A ver qué hace, a ver qué hace.

HELIODORO. Atajú... Atajú... Agajula... Nitacaual... Au atajú.

EMILIANO. Vaya bronca que me está echando.

BREMÓN. Eso es que no le gusta que se le toque la barba. Igual le pasaba a un catedrático de Química amigo mío.

EMILIANO. ¿Ve usted, doctor, como era verdad mi descubrimiento de las huellas del pie?

HELIODORO. Cataxa butla... Nitacaual...

EMILIANO. Y pensar que a lo mejor nos está diciendo que se llama Pepe... *(A HELIODORO.)* «Parlez vous français?».

BREMÓN. «Do you speak English?». «Sprechen Sie Deutsch?».

RICARDO. «¿Parlate italiano?» *(Nuevo silencio.)*

EMILIANO. «¿Fala vossa excelensia a língua de Camões?».

TODOS. *(Desalentados.)* ¡Nada!

RICARDO. No es francés, ni inglés, ni alemán, ni portugués, ni italiano...

EMILIANO. A ver si es que es idiota...

BREMÓN. Mi impresión personal es que, a causa de una larguísima existencia en plena soledad, ha olvidado por completo el idioma nativo, que será uno de los que acaba de escuchar. Probablemente se trata de un náufrago arrojado a estas playas, hace Dios sabe cuántos años; porque por el aspecto, es viejísimo.

RICARDO. ¿Qué años crees tú que pueda tener?

BREMÓN. Muchísimos. Se ve que la vida al aire libre le ha fortalecido, pero no me extrañaría nada que tuviera incluso cerca del siglo…

HORTENSIA. *(Nerviosísima.)* ¡¡No es posible!! Sería demasiada casualidad… ¡Dios mío, qué horrible idea me ha asaltado!

BREMÓN. ¡Una idea! ¿Tú?

HORTENSIA. Sin saber por qué… ¡Qué horror!… Acabo de pensar, Ceferino, en… en mi marido… desaparecido en un naufragio hace setenta años, ¿no recuerdas?

BREMÓN. Pero eso es una locura.

VALENTINA. Un disparate…

RICARDO. No puede ser.

HORTENSIA. Pero, ¿y si lo fuera? No quiero pensar…

BREMÓN. Vamos, mujer…

HORTENSIA. Déjame, Ceferino; debo hacer una prueba. Mi conciencia me obliga a ello… Aunque si fuera cierto, esto abriría nuevamente un abismo entre tú y yo… Déjame… *(Se acerca a* HELIODORO, *que la[26] sonríe en el acto.)*

VALENTINA. ¡La sonríe amablemente!

BREMÓN. ¡La sonríe!

EMILIANO. Si la sonríe amablemente no es su marido.

HELIODORO. Atajú…

VALENTINA. Y la dice «Atajú»…

EMILIANO. Bueno: eso también me lo ha dicho a mí antes.

BREMÓN. Acércate más y pronuncia lentamente su nombre.

HORTENSIA. *(Obedeciendo a* BREMÓN.*)* ¡Heliodoro!

HELIODORO. *(Mirándola como sugestionado y hablando lentamente y sin expresión.)* Hor-ten-sia.

---

26 Como muchos otros madrileños, Jardiel era laísta.

HORTENSIA. ¡Aaaaaay!… ¡Es él!… ¡Es él!… *(Huye.)*

BREMÓN. ¡Hortensia! *(Acude a ella.)*

VALENTINA. ¡Virgen Santísima!

BREMÓN. ¡Válgame Dios!…

EMILIANO. *(A* HELIODORO, *que lo contempla todo indiferente.)* Bueno, rico, pues ya la has armado…

HELIODORO. Atajú…

EMILIANO. Sí, sí; atajú, pero la has armado…

HELIODORO. Hortensia… Hortensia… *(Va hacia ella.)*

HORTENSIA. No, no. ¡No quiero verle!…

BREMÓN. Que no se acerque, Emiliano. Que no se acerque a ella, porque no respondo de mí.

HORTENSIA. Ceferino… *(Entre* EMILIANO *y* RICARDO *sujetan a* HELIODORO.)

HELIODORO. Hortensia, Hortensia…

EMILIANO. ¡Quita, hombre!… ¡Qué perra ha cogido de pronto! Claro que vivir setenta años separado de la parienta es motivo para tener ganas de dedicarle un parrafillo; pero… pero a usted, doctor, tiene que dolerle.

BREMÓN. Llévatelo… Donde yo no lo vea… Donde no sepa que existe.

EMILIANO. Sí, señor, sí. Vamos a amarrarle a un cocotero, Ricardo.

RICARDO. Vamos. Echa aquí una mano, Valentina.

EMILIANO. Anda, Heliodoro, hijo; ven con nosotros. Vamos ahí, a partir cocos…

HELIODORO. ¿Cocos?

EMILIANO. Sí, hijo, sí; y si te quedas aquí el coco partido puede que sea el tuyo. *(Se lo llevan por la derecha.* BREMÓN *se ha sentado desesperado en el tronco del árbol.* HORTENSIA, *que ha quedado a solas con él, se le acerca.)*

HORTENSIA. ¡Ceferino!…

BREMÓN. Déjame…

HORTENSIA. ¿Celos, Ceferino?

> Cuando no hay rival ninguno,
> juzgamos inoportuno
> sentir celos, es verdad...
> Mas cuando hay rivalidad,
> niños, jóvenes y abuelos:
> todo el mundo siente celos...
> ¡Mira que es casualidad!...

BREMÓN. ¡Exacto y hermosísimo!

HORTENSIA. ¿Eh? ¿Qué dices?

BREMÓN. No sé. La aparición de ese desgraciado y el comprobar que es tu marido me ha perturbado de un modo... Quizá él simboliza el obstáculo que le es necesario al ser humano para despertar el deseo.

HORTENSIA. ¿Es posible? ¿Es posible? ¡Dios mío!... Entonces casi vamos a tener que agradecerle el que no se muriera en su naufragio.

BREMÓN. No. Porque yo había encontrado la solución de nuestros tormentos... La había encontrado... Y era maravillosa...

HORTENSIA. ¿Qué?

BREMÓN. Óyeme, Hortensia. Hace un rato, cuando Emiliano me defendía contra vuestros reproches, he estado a punto de descubriros el éxito de mis nuevos trabajos, y deciros: «Dejad ya de sufrir, porque si yo quiero, volveremos todos a ser mortales como antes, solo que en mejores condiciones que antes...».

HORTENSIA. ¿Eh?

BREMÓN. He estado a punto de gritaros: «Yo puedo devolveros el gusto por la vida que hemos perdido». He estado a punto de descubriros el prodigio más grande que ha concebido la mente humana: un prodigio todavía mayor que el de la inmortalidad...

HORTENSIA. ¡Ceferino!...

BREMÓN. Pero apareció Heliodoro, tu marido… Y resolví callar porque la única manera de quitarlo de enmedio definitivamente es seguir siendo inmortales hasta que se muera él…

HORTENSIA. Pero ¿es que has descubierto una cosa para…?

BREMÓN. Sí. Para morirnos… Pero después de una vida de felicidad quintaesenciada…,[27] de dicha inenarrable…, de goce infinito…

HORTENSIA. ¡Ceferino!…

BREMÓN. ¡Calla, calla, que vienen! No les digas nada.

HORTENSIA. ¡Dios mío!… ¡Dios mío de mi alma!… *(Da muestras de gran agitación. Por el primero derecha, aparecen* VALENTINA *y* RICARDO *contemplando el paisaje.)*

RICARDO. ¡Cinco años viviendo en ella y es la primera vez que nos damos cuenta de que la isla es preciosa!

VALENTINA. Es verdad, Ricardo.

RICARDO. Y tenía razón Meighan de que el golpe de vista que ofrece desde aquí el bosque… ¿Eh?

VALENTINA. Realmente, estupendo.

RICARDO. ¡Es magnífico!…

VALENTINA. ¡Magnífico!… *(Por la derecha aparece* EMILIANO *y se inclina agradecido, como si los piropos fueran para él.)*

EMILIANO. ¡Gracias, Ricardo! ¡Gracias, Valentina!

RICARDO. Nos estamos refiriendo al bosque, idiota.

BREMÓN. Al bosque y a la isla, Emiliano; que ahora les encanta porque saben que tienen que abandonarla.

EMILIANO. ¡Como que parece mentira que se les tome tanta ley[28] a unos cuantos cocoteros y a veintiocho familias de mosquitos diferentes!

RICARDO. *(Volviéndose hacia* BREMÓN.*)* Justamente… Como

---

27 *quintaesenciada*: suprema, exquisita.
28 *tomarle ley*: tomarle cariño.

nos encantaría la vida misma si no fuera… por lo que es; y por quien es…

EMILIANO. ¿Ya empezamos? ¡He dicho que no consiento reproches para el doctor!

HORTENSIA. Y ahora menos que nunca.

BREMÓN. ¡Silencio, Hortensia!

HORTENSIA. ¡No quiero callarme!… Todos hemos sido injustos contigo, y no me callaré. Ceferino ha descubierto una cosa que neutraliza el efecto de las antiguas sales…

VALENTINA. }
EMILIANO. } ¿Eh?
RICARDO.   }

HORTENSIA. Y que nos va a hacer vivir años de felicidad indecible.

VALENTINA. ¡Doctor!…

RICARDO. Habla, Ceferino.

EMILIANO. Este tigre de la ciencia me da miedo.

BREMÓN. ¿No os habéis amotinado varias veces contra mí porque os sentís incapaces de soportar la vida eterna? Pues lo que yo iba a proponeros es… la muerte a plazo fijo.

RICARDO.   }
VALENTINA. } ¿La muerte a plazo fijo?…

EMILIANO. ¡Caray, qué proposición!…

BREMÓN. Iba a proponeros el volver a ser jóvenes de veras, y serlo cada día más, y al fin… morirnos de niños.

RICARDO.   }
VALENTINA. } ¿Cómo?
HORTENSIA. }

EMILIANO. ¿Morirse de niños? Se me va la cabeza…

BREMÓN. ¿Pensáis que estoy loco, igual que en mil ochocientos sesenta? *(Cogiendo unos tubitos de ensayo de sobre la mesa.)* Y sin embargo… ¿Veis estos tubitos de ensayo? Pues contienen un alcaloide…,[29] el del *alga frigidaris*. Como todos los alcaloides, la *frigidalina* tiene un poder agresivo extremado y va más allá de las antiguas sales. Esto no solo conserva los tejidos, sino que los rejuvenece de tal manera que, quien lo tome, cada año tendrá un año menos, hasta llegar a la juventud, luego a la adolescencia, después a la infancia, y, por último, a la desaparición, a la muerte…

EMILIANO. ¿Y nos moriremos con el chupete?

BREMÓN. De niños; pero después de haber vivido años deliciosos; en plena y verdadera juventud y con el acicate[30] de la muerte segura, que nos daría un ansia constante de aspirar a todo y de disfrutar de todo…

RICARDO. Y ya no seríamos corazones frenados.

EMILIANO. Ahora serían ustedes corazones con marcha atrás.

VALENTINA. Cinco corazones con freno y marcha atrás.

EMILIANO. No. Cuatro, porque ustedes harán lo que quieran, pero yo esta vez no me tomo el menjurje.[31]

TODOS. ¿Qué?

EMILIANO. Que no. Porque conviene que uno de nosotros siga siendo inmortal para que cuide a los demás cuando sean pequeñitos. Verán lo bien que les doy yo a ustedes el biberón…

RICARDO. Ceferino, ¿estás seguro de todo eso?

BREMÓN. Sí. Lo he comprobado también en los bichos del corral, como hice con las sales. Y el poder del alcaloide es tan intenso que los animales a los que no he dado previamente las sales, al darles el alcaloide vuelven a la infancia en un instante.

RICARDO. Pero ¿nosotros volveríamos a la niñez gradualmente?

BREMÓN. Año por año viviríamos, en sentido inverso, toda nuestra vida anterior.

---

29 *alcaloide*: sustancia extraída de una planta y usada para confeccionar medicamentos.
30 *acicate*: estímulo, incentivo.
31 *menjurje*: o *mejunje*, 'brebaje'.

HORTENSIA. }
VALENTINA. } ¡Jesús!...

(EMILIANO *coge un tubo de ensayo*
y hace mutis por la derecha.)

RICARDO. Pues yo me lo tomo... (*Cogiendo otro tubo.*)

BREMÓN. ¡Ricardo!...

RICARDO. Me lo tomo... (*A* VALENTINA.) Y tú también. Y Hortensia... Todos.

BREMÓN. Hortensia y yo, no. Necesitamos seguir siendo inmortales para dar lugar a que se muera Heliodoro.

HORTENSIA. Pero Ceferino... Si Heliodoro no puede vivir ya más de dos o tres años... Si tiene ciento tres, sin sales...

RICARDO. Naturalmente; ¿qué más os da? (*Quedan hablando aparte. Por la derecha* EMILIANO *con el tubo vacío.*)

EMILIANO. Ya está...

BREMÓN. ¿Que ya está? ¿Te lo has tomado tú, Emiliano?

EMILIANO. Se lo he empujado a don Heliodoro.

TODOS. ¿Cómo?

EMILIANO. ¿No ha dicho usted que dándoselo a quien no haya ingerido antes las sales, ese alguien vuelve a la niñez al momento? Pues se lo he sacudido a Atajú para que se vuelva niño y deje de ser un obstáculo para ustedes. Está aquí mismo, jugando al gua...[32] Fíjense...

TODOS. ¿Qué? (EMILIANO *avanza hacia la derecha y saca al niño de siete u ocho años en el que se ha convertido* HELIODORO *y que va vestido igual que él.*)

TODOS. (*Retrocediendo con un grito de horror.*) ¡Oh!...

TELÓN

---

32 *jugar al gua*: jugar a las canicas.

ACTO TERCERO

Habitación-saloncito en casa de los hijos de RICARDO y VALEN-TINA. Un lujoso bienestar se advierte en los menores detalles y un modernismo de buen tono lo preside todo.

Ancha puerta en el último término de la derecha, haciendo cha-flán con el foro que permite ver un forillo[1] de vestíbulo. En el foro izquierda un gran ventanal con forillo de casa de ciudad moderna. Otra puerta en la derecha y otra más a la izquierda, segundo y primer término, respectivamente. Muebles moder-nos. Un tresillo[2] entre el ventanal y la puerta del primero iz-quierda, y unos sillones y una mesita en el primero derecha, cerca de la puerta del segundo término de dicho lado. Lámpa-ras, etc. Colgada de la pared, una panoplia[3] con algunas de las armas que aparecieron a la puerta del lanchón en el acto ante-rior: el traje de pieles de Emiliano, dos o tres *boumerangs*, un

---

1 *forillo*: pequeño telón situado ante una puerta.

2 *tresillo*: conjunto formado por un sofá y dos butacas.

3 *panoplia*: tablero en que se colocan las armas para exhibirlas.

cuchillo, un hacha y unas sandalias de cuero. Son las cuatro de la tarde, poco más o menos, de un buen día de primavera. Al levantarse el telón, en escena EMILIANO, ELISA, MARGARITA y FLORENCIA. ELISA, la hija de RICARDO y VALENTINA, es una señora de unos sesenta años, muy nerviosa y provista de una desorganización mental que hace dificilísimo todo diálogo con ella. MARGARITA, su hija, y nieta, por lo tanto, de VALENTINA y RICARDO, es una guapa mujer de unos treinta años. Y en cuanto a FLORENCIA, se trata de una doncella. EMILIANO está desconocido, de bien vestido y arreglado, y sigue representando, inalterable, la edad que representaba en el acto anterior.

EMPIEZA LA ACCIÓN

ELISA, *sentada en el diván, llora perdidamente, inútilmente consolada por* MARGARITA *y* EMILIANO. FLORENCIA, *de pie, aguarda con una taza de tila en una bandejita.*

EMILIANO. ¡Ánimo, Elisa!

MARGARITA. Vamos, mamá, tranquilízate.

ELISA. ¿Cómo quieres que me tranquilice, hija mía? ¿Cómo quieres que me tranquilice, si nos van a matar a disgustos? ¿Qué día es hoy? ¿Viernes?

EMILIANO. No. Martes.

ELISA. (*Volviéndose a ellos, más llorosa que nunca.*) ¡Ah! Martes... ¿Veis como tengo razón cuando digo que los sábados son para mí días de mala suerte?

EMILIANO. (*Aparte.*) ¡Anda, morena!

FLORENCIA. Tómese la señora esta tila... (*Brindándole la taza.*)

ELISA. ¿Cómo se toma la tila?

MARGARITA. Bebida, mamá.

ELISA. ¡Ay, Dios del alma, qué cruz!... ¡Qué cruz!... Pero ¿qué he hecho para merecer a la vejez este castigo? Y el cuadro aquel... (*Señalando.*) Ponlo derecho, Emiliano, que ya sabes que no puedo aguantar nada torcido, hombre...

EMILIANO. En seguida. *(Obedece.)* Este es fácil. Lo malo fue ayer, en el salón, que se empeñó en ver derecha la fotografía de la torre de Pisa.

ELISA. ¡Virgen del Carmen…, qué desgracias más grandes! *(A* FLORENCIA.*)* ¿Qué has dicho que es esto?

FLORENCIA. Tila, señora.

ELISA. ¿Para beber?

MARGARITA. Sí, claro, mamá; para beber.

EMILIANO. *(Aparte.)* ¡Pobre señora! Está hecha un barullo.

MARGARITA. Anda, tómatela… *(*DOÑA ELISA *se la toma a sorbitos.)*

EMILIANO. *(A* FLORENCIA.*)* Pero bueno, ¿qué es lo que ha ocurrido?

FLORENCIA. Lo de siempre, por no variar, don Emiliano. Que, como de costumbre, la señorita Valentina y el señorito Ricardo han vuelto a dormir al amanecer, y borrachos perdidos.

MARGARITA. Y acompañados por mi marido, que sigue de compañero suyo de juergas, como de costumbre también.

ELISA. Y si fuera solo eso lo que han hecho…

MARGARITA. ¿No es solo eso, mamá?

ELISA. No, hija, no. Hoy han hecho otra cosa peor, se han atrevido a más… Hoy se han atrevido a lo más terrible… ¡A lo más terrible!… ¡Estos padres nos van a quitar la vida!

FLORENCIA. *(A* ELISA.*)* ¿Padres, señora?

MARGARITA. *(A* FLORENCIA, *de muy mal aire.)* Quiere decir nietos, mujer…

FLORENCIA. Es que les llama padres muchas veces, señorita.

EMILIANO. Porque ya sabes que está cada día más… *(Se barrena una sien con el índice.)*[4]

ELISA. *(Siempre llorosa.)* Y todavía papá y tu marido *(A* MAR-

---

4 O sea, 'gira el índice sobre la sien para dar a entender que el otro está loco'.

GARITA.) son hombres, y a los hombres se les disculpan muchas cosas, pero que mamá lleve la vida que lleva…

FLORENCIA. (A EMILIANO y MARGARITA.) ¿Ven ustedes cómo le llama madre a la señorita Valentina?

MARGARITA. (Cortándola bruscamente.) Bueno, Florencia, ya está bien… Llévate esa taza y anda a tus quehaceres…

FLORENCIA. Sí, señorita. (Coge la taza y se va por el foro.)

MARGARITA. (Espiando el mutis de FLORENCIA. A ELISA con apuro.) ¡Por lo que más quieras, mamá; ten prudencia y fíjate en lo que hablas y en quién está delante cuando hablas!…

ELISA. ¿Eh?

MARGARITA. Has estado metiendo la pata, descubriendo la verdadera personalidad de los abuelos.

ELISA. ¿Yo? Pero ¿tú oyes, Emiliano?

EMILIANO. Sí. Y es verdad.

ELISA. ¿Que es verdad?

EMILIANO. Sí. Delante de la doncella has llamado mamá a Valentina.

MARGARITA. Y papá al abuelo Ricardo.

ELISA. ¿Pues qué tengo que llamarles?

EMILIANO. (Aparte.) ¡Anda con Dios!

MARGARITA. Tienes que llamarles nietos, como siempre, para justificar su juventud y despistar a la gente…

ELISA. Claro… Y a todo el mundo, desde que vinieron a España y empezaron a rejuvenecerse, los he presentado como mis nietos…

MARGARITA. Pero delante de la doncella, ahora, les has llamado padres.

ELISA. Como que son mis padres realmente…

MARGARITA. Sí, pero ya sabes que tienes que ocultarlo.

ELISA. ¿Y no llevo yo años enteros ocultándolo?

MARGARITA. Pero ahora…

EMILIANO. *(Interrumpiéndola, aparte.)* Déjala, que es inútil.

ELISA. En fin, hija, que descanses. Buenas noches, Emiliano. Voy a acostarme. *(Inicia el mutis por la izquierda.)*

MARGARITA. ¿A acostarte? Pero si son las cuatro de la tarde, mamá.

ELISA. ¡Toma!… Por algo me extrañaba a mí no tener sueño… Entonces voy a ver si han traído los periódicos de la noche. *(Se va por el foro.)*

EMILIANO. *(Contemplándola en el mutis.)* Para que vayas viendo.

MARGARITA. ¡Pobre mamá! Está imposible. El mejor día lo descubre todo; y, si se supiese la verdad, dice el doctor Bremón que por averiguar el secreto de su descubrimiento habría hasta motines y disturbios.

EMILIANO. ¡Hombre, calcula, con el asco que la Humanidad tiene a la muerte! El día que se sepa que yo, con esta cara, tengo ciento diecinueve años, que el doctor y Hortensia, que pasan por recién casados, han cumplido los ciento quince y ciento treinta, y que Ricardo y Valentina, que son los chavales juerguistas, andan rondando los ciento cinco y los ciento diez… pues imagínate el cisco mundial… Los conflictos internacionales de la actualidad serían «sinfonías tontas».[1] ¡Que tendría que intervenir Ginebra,[2] sencillamente!

MARGARITA. Por eso está así la pobre mamá.

EMILIANO. Por miedo a que intervenga Ginebra, claro.

MARGARITA. Por la inmortalidad de ustedes, y, sobre todo, por la inmortalidad de los abuelos, que la ha desequilibrado por completo.

---

1 Es decir, 'cosas banales'. Con el nombre de *Sinfonías tontas* se conocieron en España las *Silly Simphonies* de Walt Disney, conjunto de cortometrajes de dibujos animados sin diálogos cuya acción avanzaba al ritmo de obras destacadas de la música clásica, y que fueron estrenados con gran éxito a partir de 1929.

2 En Ginebra tenía su sede la Sociedad de Naciones, creada en 1920, tras la Primera Guerra Mundial, para garantizar la paz internacional y desarrollar la cooperación entre países. En 1946 se disolvió para dar paso a la ONU.

EMILIANO. Sí. Se conoce que la buena señora no ha podido hacerse a la idea de envejecer ella y de que sus padres sigan siendo jóvenes. En realidad, cualquier cerebro se resistiría un poco al tener que aceptar eso, y como, por lo visto, el cerebro de Elisa nunca ha sido una cosa del otro jueves…

MARGARITA. ¡Emiliano, que es mi madre!…

EMILIANO. Perdona, pero con este lío de hacer pasar a unos por otros, no se da uno cuenta de con quién habla…

MARGARITA. Y en los últimos años yo creo que mamá se ha puesto todavía peor.

EMILIANO. Sí, y también se explica, porque como, desde que volvimos de la isla, sus padres no solo se conservan jóvenes, sino que cada año tienen uno menos, pues, por muchas explicaciones científicas que se le den, la pobre cada día lo comprende peor, y cada vez se chala[5] más. Y esto no es nada: porque ahora la buena señora solo tiene que digerir lo de que sus padres son dos muchachitos alocados, pero dentro de diez años, por ejemplo, cuando tenga que despedirles todas las mañanas para que ellos se vayan al colegio…

MARGARITA. ¡Terrible, Emiliano!

EMILIANO. Y el día que tenga que asistir al desbautizo de los dos…

MARGARITA. ¡Calle, por Dios!

EMILIANO. Y cuando, de aquí a quince o dieciocho años, si vive, se encuentre con que tiene que darles polvos de talco a sus padres…

MARGARITA. ¡Jesús!

EMILIANO. Le espera un porvenir mental de espanto.

MARGARITA. A todos nos espera un porvenir terrible, incluso a mí.

EMILIANO. ¿A ti?

---

5 *chalarse*: en lenguaje coloquial, 'enloquecer'.

MARGARITA. Si resulta cierto lo que sospecho de mi marido, Emiliano.

EMILIANO. ¿Eh?

MARGARITA. No lo quiero pensar; pero esto de que Fernando no se separe ni a sol ni a sombra de los abuelos, especialmente de la abuela... Fernando ha sido siempre un hombre muy serio, pero extremadamente apasionado...

EMILIANO. ¡Caramba!... No irás a sospechar que Fernando ande detrás de Valentina... Sería demasiado inverosímil: ¡un marido enamorado de la abuela de su mujer!...

MARGARITA. ¿Inverosímil, cuando la abuela representa diecisiete años y está diez veces más atractiva que yo?

EMILIANO. Sí. Eso es verdad.

MARGARITA. Hombre, ¡muchas gracias!

EMILIANO. Perdona. No sabía lo que decía...

MARGARITA. Es mucho más grave de lo que parece, Emiliano.

EMILIANO. Sí. Si resulta verdad, es una hecatombe.[6]

MARGARITA. Y como mamá ha dicho antes que hoy han hecho algo más que irse de juerga...

EMILIANO. Bueno, pues a ver si nos enteramos de lo que han hecho...

FEDERICO. *(Dentro, gritando, indignado.)* ¡No lo aguanto!... ¡No lo aguanto más!...

MARGARITA. Ahí viene el tío Federico. Él nos lo dirá. *(Por la derecha entra* FEDERICO, *hermano de* DOÑA ELISA, *y el otro hijo, por lo tanto, de* RICARDO *y* VALENTINA. *Es un caballero de más de sesenta años, fuerte, robusto aún y con una gran vitalidad. Viene desesperado. Le sigue tímidamente* FERNANDO, *el marido de* MARGARITA, *que tiene treinta años largos.)*

FERNANDO. Pero hombre, Federico...

---

6 *hecatombe*: desastre, catástrofe.

FEDERICO. No me digas nada, porque tú eres tan culpable como ellos, o más. Porque si tú no les acompañaras en su vida de francachela,[7] ni les rieses las gracias, mi padre y mi madre no seguirían ese camino de perdición... Porque mis padres, en el fondo, son buenos y lo que les estropea es las malas compañías. *(Por el foro entra* ELISA, *sin acordarse ya de nada y muy extrañada de la actitud de* FEDERICO, *por lo tanto.)*

ELISA. Pero ¿qué pasa? ¿Qué ocurre?

EMILIANO. *(Aparte.)* Esta ya no se acuerda de nada...

ELISA. ¿A qué vienen esas voces, Federico?

FEDERICO. ¿Y tú me lo preguntas, hermana? Si hasta te has puesto enferma al descubrir la nueva fechoría de los papás...

ELISA. ¡Ay, Jesús del alma, es verdad! *(Se sienta.)*

MARGARITA. Pero ¿qué es lo que...?

FEDERICO. Después de haber despilfarrado en dos o tres años lo que les dejó de herencia su tío Roberto, y eso que no lo cobraron hasta cumplir los noventa años, ahora quieren dejarnos a nosotros también en la calle. ¿Dónde están esos dos?

MARGARITA. ¿Los abuelos? Levantándose, tío Federico.

FEDERICO. ¡Levantándose a las cuatro de la tarde!... ¡Buen ejemplo el que nos dan a los hijos!... Por fortuna, uno no necesita ya ejemplo de los padres. *(Se pasea desesperado.)* Emiliano: vaya usted a decirles que en cuanto estén listos que se presenten.

EMILIANO. Voy. *(Se va por la izquierda.)*

FERNANDO. Y en lo de anoche te aseguro que yo no he intervenido para nada...

FEDERICO. No sé si has intervenido o no, pero que los estás estropeando es indudable. Porque mis padres antes no eran así.

FERNANDO. Porque antes eran mayores y más aplomados[8] y ahora han entrado en la edad de divertirse...

---

7 *francachela*: juerga, parranda.
8 *aplomados*: serios.

ELISA. Eso también es cierto, Federico; piensa que si nuestros padres se divierten, después de todo están en la edad.

FEDERICO. *(A FERNANDO.)* Justamente, y por eso tú, que debías tener el juicio que a ellos empieza a faltarles, te crees en la obligación de secundarles, abandonando de paso a tu mujer.

ELISA. A esa pobre hija, que es una santa...

MARGARITA. Ese asunto pienso resolverlo por mí misma, tío. Ya hablaremos Fernando y yo.

FERNANDO. No tengo nada que hablar. *(Por la izquierda, vuelve a entrar EMILIANO.)*

EMILIANO. *(A FEDERICO.)* Que bueno, Federico, que ahora vienen.

FEDERICO. ¿Cómo les ha encontrado usted?

EMILIANO. Pues me ha parecido verles... un poquillo preocupados...

FEDERICO. Ya pueden... Después de lo que se han atrevido a hacer...

MARGARITA. Pero ¿qué ha sido lo que han hecho, tío Federico?

FEDERICO. ¿Que qué ha sido? Que me han quitado nueve mil pesetas de la caja... ¡Eso es lo que ha sido!

MARGARITA. ¡Dios mío!

EMILIANO. ¡Arrea!

ELISA. Y en billetes pequeños, que abultan más.

FEDERICO. A eso conduce la vida ociosa y el no pensar más que en divertirse, y en coches de marca, y en *cabarets*... Se empieza por quitarle el dinero al hijo...

EMILIANO. Al padre.

FEDERICO. Al hijo, porque me lo han quitado a mí.

EMILIANO. Digo que se suele empezar por quitarle el dinero al padre...

FEDERICO. ¡Ah!... Sí..., claro... Eso es lo frecuente, y lo terrible de nuestro caso. Porque cuando son los hijos los que le quitan el dinero al padre, el padre mete en Santa Rita a los hijos.[3] Pero ¿y yo? ¿Cómo meto yo en Santa Rita a mis padres?

EMILIANO. Sí, claro: no lo tolerarían los otros padres.

FEDERICO. ¿Los padres de quién?

EMILIANO. Los padres de Santa Rita. Los frailes, vamos…

ELISA. ¡Estás loco, Federico! ¡Nuestros padres en un reformatorio!… ¡Hasta ahí podíamos llegar!…

FEDERICO. Ya sé que no es posible; pero tampoco esto puede seguir así… ¿Qué haría usted en mi caso, Emiliano; usted que es un hombre de experiencia y de años…?

EMILIANO. Ciento diecinueve, Federico.

FEDERICO. ¿Usted qué haría, en mi lugar, con mi padre?

EMILIANO. ¿Por qué no le obligas a sentar plaza?[9]

ELISA. ¡Jesús!

FEDERICO. Es un poco fuerte… Realmente, es un poco fuerte, Emiliano. (*Por el foro,* FLORENCIA, *anunciando.*)

FLORENCIA. El doctor Bremón y su señora.

EMILIANO. ¡Hombre!…

ELISA. (*Levantándose.*) Me encanta que venga el doctor; tengo que pedirle opinión para forrar unos sillones…

MARGARITA. ¡Pero, mamá! (*Va hacia el foro, por donde entran* BREMÓN *y* HORTENSIA. FLORENCIA *se vuelve a ir al instante.* BREMÓN *está espléndido de joven, de elegante y de mundano;*[10] *representa unos treinta años.* HORTENSIA, *elegantísima también, está hecha una muchacha de veinticinco abriles.*)

ELISA. ¡Querido doctor!

BREMÓN. Señora…

---

9 *sentar plaza*: entrar a servir voluntariamente en el ejército como soldado.

10 *mundano*: individuo que vive entregado a los placeres y frivolidades de la vida social.

3 Santa Rita era un reformatorio de Madrid dirigido por religiosos en el que se reeducaba a los muchachos conflictivos.

ELISA. Hortensia.

BREMÓN. Amigo don Federico...

EMILIANO. Don Ceferino... Dichosos los ojos...

BREMÓN. Emilianete... *(Saludos y abrazos.)*

HORTENSIA. ¿Qué tal, Margarita?

MARGARITA. *(A* HORTENSIA, *en el diván, en unión de* ELISA.*)* Usted, Hortensia, cada día más joven. Y no es cortesía...

HORTENSIA. No, claro. En nosotros lo de estar cada día más joven es una realidad. El martes pasado, precisamente, fue mi descumpleaños.

ELISA. ¿Y cuántos ha descumplido usted?

HORTENSIA. ¿Cuántos años he descumplido, Ceferino?

BREMÓN. Veinticinco, chatita. Y yo los primeros que descumpla serán los treinta.

ELISA. ¡Qué suerte tienen ustedes de descumplir tantos! ¡Cuando pienso que mis pobres padres han descumplido ya los dieciocho y los dieciséis, y que dentro de poco entrarán en la infancia!...

HORTENSIA. ¡Vamos, Elisa, deseche usted esas ideas fúnebres!

ELISA. ¡No saben ustedes cómo me trastorna todo esto!...

HORTENSIA. Claro...

BREMÓN. Es natural... Pero piensa que esto que a ti te trastorna, pequeña, constituye la felicidad nuestra y, sobre todo, la de tus padres.

FEDERICO. ¿Son ustedes felices realmente?

BREMÓN. *(Volviéndose a* HORTENSIA.*)* Oyes, chata, ¿que si somos felices?

HORTENSIA. ¡Uy, que si somos felices!...

BREMÓN. ¿Pero ustedes no se dan cuenta de lo que es volver a vivir la juventud y ver que el pelo le va saliendo a uno... a la velocidad con que se cayó... y que se le va volviendo a uno de su color primitivo?

HORTENSIA. Y que el cuerpo se pone cada día más firme, hasta que llega un día en que no necesita una faja.

EMILIANO. Y notarse con más salud cada vez, que el doctor tenía un final de úlcera de estómago[11] y se le quitó el jueves…

TODOS. ¿Es verdad?

BREMÓN. Palabra, palabra. Y una muela que tenía picada se me despicó ayer.

HORTENSIA. Y ver resucitar las ilusiones de amor…

BREMÓN. E ir olvidando todo lo que se aprendió…

FEDERICO. Cómo, ¿olvidan ustedes?

BREMÓN. Claro. ¿No ves que vivimos para atrás? Pues cada día que pasa sabemos menos. Yo, de mi carrera, estoy ya en el cuarto año. Y encantado de llegar al preparatorio,[12] porque la felicidad está en la ignorancia, en la juventud, en las pasiones… ¡Sobre todo en las pasiones!… *(Levantándose y yendo hacia* HORTENSIA.*)* ¡Hortensia mía!…

HORTENSIA. ¡Ceferino!

BREMÓN. ¡Perdonad, pero hace tanto rato que no la doy un beso! *(La besa.)* Y como además sabemos que esta dicha de ahora no es eterna, que tenemos los años contados, pues cada minuto perdido se clava en el alma. *(Transición.)* ¡Claro que también la dicha de nuestro amor tiene nubes!

MARGARITA. ¿Nubes?

HORTENSIA. Vamos, Ceferino, no empieces…

FEDERICO. ¿Pues qué ocurre?

HORTENSIA. Los celos, que no le dejan vivir.

ELISA. ¡Uy, qué gracioso!… ¡Tiene celos!… ¡Igual que mi difunto antes de morirse!

---

11 En lugar de tener un *principio de úlcera*, el doctor tiene un *final de úlcera* porque, dado su progresivo rejuvenecimiento, sus males mejoran con el paso de los días en lugar de empeorar.

12 *el preparatorio*: curso que prepara a los alumnos para el ingreso en la universidad.

BREMÓN. Sabes que no son celos, Hortensia, que son realidades. Porque el teniente de Ingenieros que ronda los balcones… Y el abogado del Estado del entresuelo… Y aquel equilibrista del circo, que…

HORTENSIA. Bueno, Ceferino, bueno…

BREMÓN. Coquetea con todo bicho viviente; esta es la verdad. ¡Y como está tan joven y tan guapa, y lo único que no se le ha olvidado es la experiencia de ciento quince años de coqueta…, me trae de cabeza!

MARGARITA. Sí; por lo visto, las mujeres que gozan de esa mezcla de vejez y de juventud son de un atractivo irresistible.

EMILIANO. *(Aparte a* FERNANDO.*)* ¡Por ahí tiran con bala,[13] Fernandito!

BREMÓN. Ahora que, por mi parte, esto se ha acabado. El martes, que seremos ricos, nos vamos al extranjero; a un país donde Hortensia no entienda el idioma.

FEDERICO. ¿Que el martes serán ustedes ricos, doctor?

BREMÓN. Sí; y Emiliano también. Y Ricardo. Y Valentina.

EMILIANO. ¿Eh? ¿Yo rico? Doctor, no juegue usted con el corazón de los puntos…[14] Explíquese…

BREMÓN. Por eso ha sido el venir: porque, a fin de esta semana, vencen los seguros de vida que nos hicimos en 1860, cuando nos tomamos las sales.

EMILIANO. ¡¡Arrea!! ¡Pues es verdad!

FEDERICO. ¿Y les corresponde…?

BREMÓN. Un millón de pesetas a cada uno.

LOS OTROS. ¿Un millón?

BREMÓN. Me ha telefoneado el director de la compañía de seguros y le he citado aquí, para que estemos todos juntos cuando venga.

---

13 *tirar con bala*: hablar con mala intención, con segundas.
14 *punto*: 'hombre pícaro o sinvergüenza', aquí con valor afectivo o benévolo.

EMILIANO. Pero… ¿Y nos pagará? Porque yo no creo ni en las compañías de seguros ni en las píldoras Pink.[4]

BREMÓN. Ellos se resisten a creer que vivamos, y pensarán que somos unos suplantadores; pero cuando les demostremos que nosotros somos nosotros, no tendrán más remedio que pagar.

EMILIANO. Menos mal; porque con esto de no morirse uno nunca, siempre se está alcanzado de dinero.[15]

FEDERICO. Lo celebro de veras por mis padres, doctor; porque teniendo dinero otra vez, podrán seguir su vida sin quitarme a mí nada de la caja.

BREMÓN. ¿Cómo? ¿Pero es que le han quitado a usted…?

FEDERICO. Sí, señor. Esa ha sido su última trastada.

BREMÓN. ¡Vamos!… ¡Qué muchachos estos!… ¡Qué muchachos!…

EMILIANO. (*Que está en la izquierda con* FERNANDO.) Aquí vienen los chavales, Federico.

FERNANDO. Yo no quiero presenciar el disgusto. (*Va hacia la derecha.*)

MARGARITA. Haces bien. Yo tampoco. Y así hablaremos dos palabras tú y yo. Con permiso… (*Se va detrás de* FERNANDO, *por la derecha.*)

ELISA. ¡Por Dios, Federico!… ¡No les regañes mucho!… ¡Piensa que, al fin y al cabo, son nuestros padres! ¡Ay, todo esto es superior a mis fuerzas! (*Vuelve a su llanto.*)

HORTENSIA. (*Consolándola.*) Doña Elisa… (*Por la izquierda aparecen, primero,* VALENTINA, *y luego,* RICARDO.)

VALENTINA. (*Tímidamente.*) ¿Se puede?

ELISA. Angelitos… Preguntan si pueden…

---

15 Es decir, 'escaso de dinero'.

4 Jardiel cita las píldoras Pink en otras obras suyas, pero al parecer no son más que una humorística invención del autor.

FEDERICO. Adelante… *(Entran* VALENTINA *y* RICARDO. *Parecen efectivamente dos muchachitos de dieciséis y diecisiete años, respectivamente. Se detienen en la puerta.)*

VALENTINA. Buenas tardes a todos…

RICARDO. Buenas tardes.

HORTENSIA. Valentina querida. *(Va con* BREMÓN *hacia ellos.)*

VALENTINA. Hortensia.

RICARDO. ¡Hola, Ceferino!

BREMÓN. ¡Hola, chaval!

VALENTINA. ¡Qué guapa y qué joven estás!

HORTENSIA. ¡Sí, puedes hablar tú, que eres una niña!

ELISA. ¡La verdad es, Federico, que da gusto verlos!… ¡Qué soles de padres!…

FEDERICO. Sí; muy ricos son los dos. ¡Muy ricos!… *(*VALENTINA *y* RICARDO *cesan en su conversación con* BREMÓN *y* HORTENSIA, *al oír la última frase de* FEDERICO.*)*

EMILIANO. *(Aparte a* VALENTINA *y* RICARDO, *por* FEDERICO.*)* ¡Está que muerde; y como estrenó el mes pasado dentadura postiza, andad con ojo! *(*BREMÓN *y* HORTENSIA, *prudentemente, vuelven a sus puestos anteriores.)*

FEDERICO. ¿Qué? ¿Satisfechos de vuestra hazaña, eh?

RICARDO. Te aseguro, hijo mío…

FEDERICO. Sí, ya sé lo que vas a decirme, papá: disculpas y mentiras y promesas de que no volverá a ocurrir; pero estamos hartos, ¡estamos ya hartos!…

ELISA. ¡Federico, por Dios!

FEDERICO. ¡Y lo que hicisteis ayer colma la medida!… ¡Habéis derrochado lo vuestro y ahora habéis llegado a lo más que pueden llegar unos padres!… ¡A lo más vergonzoso y a lo…!

VALENTINA. Bueno, hijo mío, ya está bien.

FEDERICO. ¿Qué?

VALENTINA. Que ya está bien, hijo mío. Que, por mi parte, no estoy dispuesta a permitir que nos gritéis, porque nunca os lo

aguanté yo, y no voy a aguantarlo ahora, al cabo de los años. *(A* RICARDO.*)* Tú siempre has tenido el defecto de ser demasiado blando con los hijos, y ya ves el resultado: que nos falten al respeto.

RICARDO. Sí; tienes razón.

FEDERICO. *(A punto de estallar.)* Pero...

VALENTINA. No hay pero que valga, Chichín. Suponiendo que nosotros hiciésemos algo malo, que no hacemos más que lo propio de nuestra edad, deber de hijos es disculpar a los padres, no acusarlos.

FEDERICO. *(Compungido.)* ¡Pero, mamá!...

RICARDO. *(Recobrando su dignidad de padre.)* Eso es... Y si hemos distraído una cantidad de la caja,[16] a nadie tenemos que dar cuentas, porque somos los padres y, como padres, dueños de todo.

FEDERICO. *(Compungido.)* ¡Pero, papá!...

RICARDO. ¡Y ya te estás callando!...

VALENTINA. Chichín, ni una palabra más. Toma ejemplo de Chichita, que es bastante más dócil que tú...

FEDERICO. Bueno, muy bien... Es todo lo que me quedaba por oír; a mis años...

EMILIANO. ¡Y al mes de estrenar dentadura!

VALENTINA. Más años tenemos nosotros...

RICARDO. ¿Se habrá visto arrapiezo[17] semejante?

EMILIANO. Dale un par de azotes, Ricardo.

FEDERICO. ¡Y encima eso!... ¡Y encima eso!... ¡Tener que aguantar eso!... *(Se va echando chispas por la izquierda.)*

ELISA. ¡Válgame Dios! ¡Esta situación me vuelve tarumba, Emiliano!

EMILIANO. ¡Y a cualquiera, hija; a cualquiera!

---

16 Es decir, 'si hemos robado algún dinero'.

17 *arrapiezo*: en tono cariñosamente despectivo, 'muchacho'.

ELISA. *(En el mutis, hablando para sí.)* Y luego se extrañan de que diga una cosa por otra y de que tome una la sopa con tenedor. *(Se va por la derecha.)*

EMILIANO. *(Refiriéndose a los que se han ido.)* Bueno, los tenéis hechos polvo, ¿eh? Y yo creo que llevan razón ellos.

RICARDO. Todos llevamos razón, Emiliano. Ellos son viejos y piensan y sienten como viejos; pero ese no es motivo para que quieran sacrificarnos a nosotros en plena juventud feliz, que se nos va de la mano por días...

BREMÓN. ¡Ahí le duele, que hay que aprovechar cada hora!

VALENTINA. ¿Cada hora? Cada minuto... Cada segundo hay que aprovecharlo y estrujarlo, y consumirlo en reír y en disfrutar del sol, del aire y de la luz que lleva uno dentro. Y en quererse... *(Se abraza a RICARDO.)*

BREMÓN. En quererse. Está dicho. *(Abraza a HORTENSIA.)* Tú, Emiliano, no puedes comprendernos...

EMILIANO. No, señor. Para mí, morirse es un error.

BREMÓN. ¡Qué va a serlo!

LOS TRES. ¡Qué va!

BREMÓN. Morirse es un acierto estupendo... Morirse es vivir... Cuando se ha sabido aprovechar la vida, morirse es vivir. De igual modo que cuando no se ha sabido aprovechar la vida, vivir es morirse.

RICARDO. Entonces, viva la vida; pero viva también la muerte.

BREMÓN. Eso, eso...

TODOS. ¡Vivaaa!

BREMÓN. No te envidiamos tu inmortalidad, Emiliano. ¿Qué vas a ver con los tiempos que corren en Europa, jaleos políticos?[5]

---

5 El año en que transcurre la acción del acto tercero, 1935, es en efecto una época de gran efervescencia política en toda Europa, donde se deja sentir la influencia de los totalitarismos de Alemania, Italia y la Unión Soviética. El expansionismo de esos países y los extremismos políticos e ideológicos de todo signo aumentaron la tensión bélica que hizo estallar la Segunda Guerra Mundial.

EMILIANO. Pues no crea usted que no estoy interesado en eso. Lo único que me chincha es pensar que pueda llegar el reparto… porque como he sido cartero…[6] *(Por el foro aparece Florencia con una bandeja y una tarjeta en ella.)*

FLORENCIA. Doctor…

BREMÓN. ¿Qué hay?

FLORENCIA. Este caballero, que dice que el señor le ha citado aquí para un asunto importante.

BREMÓN. ¡Ah! Será el director de la compañía de seguros… Que pase. *(FLORENCIA se va de nuevo.)* Es verdad, que no os lo he dicho. En esta semana vencen los seguros que nos hicimos el año sesenta.

RICARDO. Yo creí que no vencían hasta junio…

BREMÓN. En junio seremos todos ricos.

VALENTINA. Ricos…

RICARDO. Ricos…

BREMÓN. *(Leyendo la tarjeta.)* Justo… Él es… «Bienvenido Corujedo, director de…»

EMILIANO. ¿Corujedo? Pero, oiga usted: ¿no se llamaba también Corujedo el agente aquel que nos firmó las pólizas?

BREMÓN. Pues es verdad.

HORTENSIA. ¿Será el mismo?

BREMÓN. ¡Cómo va a ser el mismo, si hace de eso setenta y cinco años!

EMILIANO. ¿A ver si ha habido algún otro que ha inventado las sales de usted?

BREMÓN. No digas simplezas. Lo que puede ocurrir es que sea hijo o nieto de aquel Corujedo, que el negocio de los seguros haya pasado de padres a hijos…

---

6 Emiliano parece aludir al reparto de la riqueza que propugnaban los socialistas y comunistas, pero sazona el comentario con un chiste alusivo al *reparto* de cartas que llevaba a cabo cuando era cartero.

VALENTINA. Sí, claro…

RICARDO. Eso será. (*Por el foro,* FLORENCIA.)

FLORENCIA. Pase usted, caballero. (*En el foro aparece* CORUJE-DO. *Es un hombre de treinta años, parecidísimo al* CORUJEDO *del primer acto, muy bien vestido.* FLORENCIA *se va. Los personajes que están en escena miran fijamente a* CORUJEDO.)

BREMÓN. Sí, justo… Eso es… Pariente del otro.

RICARDO. No hay más que verle.

HORTENSIA. Basta verle.

VALENTINA. La misma cara.

EMILIANO. Idéntica… Idéntica…

CORUJEDO. (*Un poco extrañado.*) Buenas tardes.

BREMÓN. Y la misma voz.

HORTENSIA. La misma… (*Contemplándolo de cerca.*)

EMILIANO. ¿A ver? Y las mismas narices…

BREMÓN. No, perdona, Emiliano; pero las narices las tiene este señor menos puntiagudas.

CORUJEDO. ¿Eh?

EMILIANO. ¡Qué va!… Míreselas usted así, de perfil. Tan apinochadas[18] como las del otro. (*Le da la vuelta a* CORUJEDO *como si fuera un mueble.*)

BREMÓN. (*Examinándole.*) ¡Pchs!… De perfil, sí; pero… Bájale la cabeza. (EMILIANO *le baja la cabeza a* CORUJEDO.) Ahora súbesela… (EMILIANO *se la sube.*) Sí, sí, son las mismas narices.

EMILIANO. (*Triunfalmente soltando a* CORUJEDO.) Las mismas narices, hombre.

CORUJEDO. ¿Y puede saberse a qué narices viene esto?

---

18 *narices apinochadas*: narices largas y prominentes como las de Pinocho, el muñeco de madera protagonista de *Las aventuras de Pinocho* (1883), del escritor italiano Carlo Collodi (1826-1890).

BREMÓN. Perdone usted, señor Corujedo... No sé cómo decirle que disculpe nuestra actitud, pero nos ha sorprendido tanto el verle...

CORUJEDO. No, no, no... Si todo ocurre porque tiene que ocurrir. Si está bien.

BREMÓN. ¿Eh?

CORUJEDO. Lo que quiero yo saber, por ser de capital importancia, es a quién se referían ahora ustedes cuando hablaban de mis narices.

BREMÓN. Nos referíamos al agente que en 1860 contrató nuestros seguros...

CORUJEDO. Al agen...

EMILIANO. Y que también se llamaba Corujedo: Elías Corujedo.

CORUJEDO. ¡Mi madre!

EMILIANO. ¿Veis cómo os decía yo que eran parientes? Era su madre.

VALENTINA. ¿Pero cómo iba a ser su madre, Emiliano?

CORUJEDO. ¡Mi abuelo!

EMILIANO. Su abuelo. Era su abuelo.

CORUJEDO. Pero, entonces... Pero, entonces, ¿es verdad?

TODOS. ¿Qué?

CORUJEDO. *(Pasándose la mano por la frente, como el que se ve obligado a creer lo increíble.)* ¿Entonces?... ¿Aquí no hay suplantaciones? ¿Entonces ustedes son los que contrataron los seguros con mi abuelo: Ceferino Bremón, de ciento treinta años, y Hortensia Álvarez, de ciento quince?

EMILIANO. Se vuelve loco, claro.

CORUJEDO. Y Emiliano Menéndez, de ciento diecinueve.

EMILIANO. Servidor.

BREMÓN. Y Ricardo Cifuentes, de ciento diez, y Valentina Díaz, de ciento cinco... *(CORUJEDO hace una leve pausa, mirándoles alternativamente, y de pronto da un salto y sale corriendo a todo correr por el foro.)*

CORUJEDO. ¡Caray!...

RICARDO. Que se va...

EMILIANO. Loco perdido, claro.

RICARDO. }
VALENTINA. } ¡Corujedo!

HORTENSIA. Señor Corujedo... *(Salen corriendo todos detrás de él.)*

BREMÓN. ¡Que no salga a la calle! Que lo va a contar.

EMILIANO. Descuide usted, doctor, que yo le agarro. *(Mutis de todos por el foro, corriendo a todo correr. Por la derecha aparecen* MARGARITA, *víctima visible de un terrible disgusto, y* FERNANDO, *también con muestras de hallarse viviendo una fuerte crisis.)*

FERNANDO. Te callarás... No se lo dirás a nadie.

MARGARITA. Ahora mismo se lo digo a todos para que tomen cartas en el asunto. ¡Infame!... ¡Pero qué digo infame: imbécil y gracias!... Eso es lo que tú eres: ¡un imbécil!

FERNANDO. Margarita...

MARGARITA. Cualquier otra infidelidad te la habría pasado, porque te he querido, y cuando se quiere, se perdonan las cosas... ¡Pero hacerme de menos[19] con... mi abuela!... ¡Saber que estás enamorado de mi abuela!... ¡¡De mi abuela!!...

FERNANDO. ¿Por qué ese tono despectivo de «mi abuela, mi abuela»? ¡A ver si es que no está estupenda tu abuela!

MARGARITA. Fernando...

FERNANDO. ¿Tengo yo la culpa de vivir en una casa donde todos rezumáis tristeza, los hijos y la nieta, y en la que los únicos que son alegres y optimistas son los abuelos? ¿Que me sienta atraído por la abuela? Naturalmente... ¡Y mi lástima es no

---

19 *hacer de menos*: despreciar o quitarle importancia a una persona.

haber conocido a la bisabuela, porque dicen que Valentina es su vivo retrato!…

MARGARITA. Eso faltaba.

FERNANDO. Y si me gusta tu abuela, en último término, échate la culpa a ti misma, que no tienes la gracia de ella y su seducción y su frescura.

MARGARITA. Frescura… esa es la palabra.

FERNANDO. No la ofendas. Que ni ella tiene la culpa de lo que pasa por mí, ni está enterada siquiera.

MARGARITA. Pero va a estarlo muy pronto… Y ahora mismo lo sabrán mamá y el tío.

FERNANDO. ¡Margarita!

MARGARITA. No me importa el escándalo… No me importa descubrirlo todo… Pero esto no lo aguanto… Yo haré que te tengas que ver las caras con el abuelo. (*Se va, furiosa, por la izquierda.*)

FERNANDO. ¡Con el abuelo!… ¡Me va a obligar a pegarme con el abuelo!… ¡Con lo joven que está!… ¡¡Margarita!! (*Se va, detrás de ella, por la izquierda. Por el foro vuelven a entrar* CORUJEDO, BREMÓN, RICARDO, EMILIANO, VALENTINA *y* HORTENSIA. *Vienen ya hablando tranquilamente.* CORUJEDO, *en el centro del grupo, oyendo las explicaciones que le dan.*)

CORUJEDO. Pero, señores, si parece un sueño.

BREMÓN. Un sueño que es una realidad rotunda, señor Corujedo.

VALENTINA. Cinco realidades.

HORTENSIA. Eso es… Cinco realidades: una por persona.

EMILIANO. En fin: ¿ve usted esa panoplia? Pues ahí tiene usted el traje y las armas que usaba yo en la isla. Y eso son unas botas que usé más de sesenta años, porque las unté con las sales, y que luego se me ocurrió también untarlas con el alcaloide de la juventud, y ya ve usted: se me han convertido en sandalias… (*Todos ríen.*)

CORUJEDO. ¡Es maravilloso!… *(A* BREMÓN.*)* ¡Y usted, doctor, el científico más grande del mundo!

BREMÓN. Lo fui… lo fui… Pero ahora ya no sé una palabra de nada… Estoy hecho un berzotas…[20]

EMILIANO. Entonces, señor Corujedo, ¿nos pagarán ustedes los seguros? Porque yo tengo desde niño cierta escama[21] financiera.

CORUJEDO. Los casos de ustedes no tienen precedentes, y lo natural sería ir a un pleito; pero tampoco tienen precedentes los descubrimientos del doctor Bremón, y ¿qué menor premio se merecen que esos cinco millones?…

BREMÓN. ⎫
RICARDO. ⎪
VALENTINA. ⎬ ¡Corujedo!
HORTENSIA. ⎭

EMILIANO. Señor Corujedo…

CORUJEDO. Después de todo, al obrar así, la compañía de seguros que dirijo no hace más que adelantarse al homenaje mundial de que pronto será usted objeto, doctor.

BREMÓN. ¡No, eso no, por Dios! Le suplico, amigo mío, la reserva más absoluta acerca de…

CORUJEDO. ¿Pero cree usted que eso puede ocultarse? Se enterarán mis socios. Correrá la noticia…

BREMÓN. ¿Y si nos vamos todos de incógnito a vivir en el extranjero?

CORUJEDO. Eso podría ser una solución. De todo hablaremos más despacio; yo, por el momento, con el permiso de ustedes… *(Inicia el mutis. Dentro se oye gritar a* FEDERICO.*)*

FEDERICO. ¡¡Ahora mismo!! ¡Esto hay que resolverlo ahora mismo!

---

20 *berzotas*: en lenguaje coloquial, 'inculto e ignorante'.
21 *escama*: recelo, desconfianza.

CORUJEDO. ¿Qué es eso?

RICARDO. Nada. Mi hijo, que tiene un genio imposible. *(Van haciendo mutis* EMILIANO, BREMÓN, CORUJEDO *y* RICARDO, *hablando, por el foro. En ese instante, por la izquierda, entra* FEDERICO, *que está fuera de sí;* MARGARITA, FERNANDO *y* ELISA, *hecha cisco*[22] *otra vez, le siguen.)*

FEDERICO. ¡El colmo!... ¡El colmo!... ¡¡Papá!!

RICARDO. ¿Qué?

MARGARITA. Tío.

FERNANDO. Federico...

ELISA. ¡¡Federico, por la Virgen!!...

FEDERICO. ¡¡Mamá!!

VALENTINA. ¿Qué pasa?

FEDERICO. ¿Quieres saber lo que pasa?

FERNANDO. Federico, calla.

FEDERICO. No me callo. Pasa que mi sobrino, el marido de tu nieta, está enamorado de ti... Eso pasa.

VALENTINA. ¿Eh?

RICARDO. ¿Cómo?

FEDERICO. A eso han conducido vuestras locuras... A que esta casa sea Sodoma y Gomorra...[7]

ELISA. De esta... de esta me chiflo.[23] *(Cae en el diván.)*

MARGARITA. ¡Mamá!...

RICARDO. ¿Pero qué estás diciendo? ¿Qué estupidez es esa?

FERNANDO. No es ninguna estupidez...

---

22 *hecha cisco*: en lenguaje coloquial, 'apesadumbrada y confusa'.

23 *chiflarse*: coloquialmente, 'enloquecer'.

7 Según la Biblia (Génesis 13,13 y 19,1-25), las ciudades de Sodoma y Gomorra fueron destruidas por Dios, a causa de que sus habitantes vivían entregados al pecado. En el pasaje, la expresión *ser Sodoma y Gomorra* alude al desorden moral que parece reinar en la casa de Ricardo.

RICARDO.
VALENTINA. } ¿Eh?
HORTENSIA.

(En este momento, por el foro, entran EMILIANO *y* BREMÓN, *que vuelven de despedir a* CORUJEDO.*)*

FERNANDO. Ya me he hartado de fingir... Estoy enamorado de Valentina. Sí, ¿y qué?

EMILIANO. ¡Arrea!

BREMÓN. ¡Fernando!

FERNANDO. ¡Estoy enamorado de ella como un loco! ¡Sí! ¿Y qué?

RICARDO. Pero ¿cómo que «y qué»? ¡Pues que te parto el alma ahora mismo! *(Avanza hacia él.)*

VALENTINA. ¡Ricardo!...

TODOS. ¡Ricardo!... *(Le sujetan.)*

ELISA. ¡Aaaaay!...

MARGARITA. ¡Mamá!... ¡No te chifles, por Dios!

HORTENSIA. ¡Elisa!...

VALENTINA. ¡Hija mía, lleváosla!... ¡Lleváosla, que no oiga esto!

FEDERICO. ¡Pobre hermana! Ven...

ELISA. ¡Ay!... ¡Estos padres!... ¡Estos padres!... *(Se la llevan, por la izquierda, entre* FEDERICO, HORTENSIA *y* MARGARITA.*)*

FERNANDO. ¡Suéltenle!... ¡Suéltenle!... ¡Si no me da miedo!

RICARDO. ¿Que no te doy miedo?... ¡Maldita sea!

EMILIANO. ¡Ya podrás, Fernando! ¡Atreverte con un hombre que tiene ciento diez años!

VALENTINA. ¡Quieto, Ricardo!... ¡Y tú, cállate, mocoso!

FERNANDO. ¿Mocoso?...

VALENTINA. ¡Mocoso, sí!... *(*HORTENSIA *vuelve a salir por la izquierda.)* La que tiene que arreglar esta cuestión soy yo, y la voy a arreglar con dos palabras. Te he llamado mocoso porque no tienes más que treinta años, y yo ciento cinco; para mí eres un mocoso. Pero piensa, además, que cada año que pasa tengo uno menos, y apréndete de memoria —y no lo olvides— que cuando tú tengas treinta y cinco años, yo tendré once, y cuando tú tengas cuarenta, yo tendré seis.

FERNANDO. ¿Que cuando yo tenga cuarenta, ella tendrá seis? Hortensia… *(La abraza.)*

HORTENSIA. ¡Claro, hombre! La abuela es muy joven para ti.

BREMÓN. ¡Eh!… Tú… Pollito.[24] *(Le quita de los brazos a HORTENSIA.)*

EMILIANO. *(A FERNANDO.)* ¡Abráceme usted a mí, que soy soltero!

VALENTINA. ¡Ay! *(Vacila, como si se marease.)*

RICARDO. ¡Valentina!…

BREMÓN. ¿Qué te pasa?

HORTENSIA. ¡Valentina!… *(Va hacia ella.)*

VALENTINA. Nada; no es nada. Lo esperaba. *(Le habla aparte a HORTENSIA.)*

RICARDO. ¿Que lo esperabas?

HORTENSIA. Pero ¿es que…?

VALENTINA. Sí, Hortensia.

RICARDO. ¿Qué dices? ¿Qué dices? *(La abraza, emocionado.)*

EMILIANO. *(A FERNANDO.)* Mi querido Romeo: Julieta va a tener un heredero… Renuncie usted a ella definitivamente.

FERNANDO. ¡Un hijo!… ¡Un hijo, ella! *(Se va destrozadísimo por la primera izquierda.)*

BREMÓN. ¡Un hijo!… ¡Juventud redonda!…

HORTENSIA. ¡Vuestra felicidad completa!…

VALENTINA. *(Ocultando el rostro.)* ¡Pobrecito!… ¡Pobrecito!…

---

24 *pollito*: en términos despectivos, 'señorito'.

RICARDO. ¡Valentina!...

HORTENSIA. ¿Pero, lloras?

VALENTINA. ¿Qué quieres que haga? ¡Pobre hijo mío!... ¿Quién le atenderá? ¿Quién velará por él?

EMILIANO. ¡Hombre, yo, que soy el niñero vitalicio![25]

VALENTINA. Pronto me echa el Destino a la cara mis palabras de antes: cuando mi hijo tenga dos años, yo tendré quince; cuando él tenga cuatro, yo tendré trece... Luego seremos niños los dos... ¡Cómo nos querremos!... ¡Qué amor y qué dichas infinitas habrá en nuestros juegos!... Pero él seguirá creciendo y yo, y yo... ¡Oh, qué horror!... ¡Qué horror!... *(Se abraza a* RICARDO *y hay un silencio impresionante.)*

BREMÓN. ¡Quién sabe!... ¡Hay que confiar en las fuerzas de la vida!

VALENTINA.
RICARDO. } ¿Eh?

EMILIANO. ¡Mi madre! ¿A que se le ha ocurrido otra cosa aún?

BREMÓN. No es que quiera alentaros... Pero yo... Lo único que no veo claro en mis experiencias es el final. Cuando este *(Señala a* EMILIANO.) convirtió en niño al marido de Hortensia, yo me propuse estudiar el fenómeno en él, pero como tuvimos la mala pata de que muriera de tos ferina[26] a los dos años... sigo sin saber qué será de nosotros. Nos haremos niños, llegaremos a tener nada más que un mes, y luego, quince días, y después, solo unas horas de vida, y al fin, ya únicamente nos quedarán unos minutos... Pero en la Naturaleza no muere nada; ¿y quién sabe si al cumplir el último segundo de vida, no empezaremos a cumplir el primero otra vez? *(Todos al oírle, parecen revivir y vuelven a la alegría.)*

---

25 *vitalicio*: que desempeña su cargo de por vida.

26 *tos ferina*: 'enfermedad infecciosa caracterizada por frecuentes ataques de tos'; afectaba sobre todo a los niños, y en muchos casos era mortal.

RICARDO.
VALENTINA. } ¡Bremón!

HORTENSIA. ¡Ceferino!

EMILIANO. Y volverán ustedes a vivir... Me lo estaba oliendo. Yo les esperaré a pie firme, con el hijo de Valentina, que ya irá a la Universidad, y usted, doctor, volverá a estudiar la carrera de Medicina.

BREMÓN. ¿Medicina? ¿Y si descubro después alguna otra sal?

EMILIANO. Eso no... Entonces se dedicará usted al fútbol.

HORTENSIA. Y yo seré su árbitro.

EMILIANO. Y le pitaremos todos. *(Gran alegría. Por la izquierda,* FEDERICO.*)*

FEDERICO. ¡Mamá!... ¿Un hermanito? ¿Un hermanito?

VALENTINA. O una hermanita, sí.

EMILIANO. O un hermanito y una hermanita a un tiempo, que se dan casos.

VALENTINA. Pero, por Dios, no le digáis nada a Elisa, que si sabe esto es cuando se trastorna del todo.

ELISA. *(Dentro.)* ¡Ja, ja, ja!

BREMÓN. Ya está. Ya se lo han dicho.

RICARDO. ¡Chalada!

EMILIANO. Voy a telefonear al manicomio. *(Por la izquierda aparece* ELISA.*)*

ELISA. *(Haciendo esfuerzos por no reír, pero sin conseguirlo.)* Si no estoy loca, si no estoy loca. Si me río de que... ¡ja, ja!..., de que si a vosotros, que sois mis padres, tengo que llamaros nietos, ¡ja, ja, ja!... que ¿cómo tendré que llamar al que nazca?

TELÓN

Actividades

TEXTOS AUXILIARES

1 | UN TEATRO HUMORÍSTICO INNOVADOR

1.1 Apuesta por el teatro inverosímil

«¡Qué asco oír la palabra "verosímil" aplicada al arte del teatro! Porque un teatro verosímil, ¿no es la negación justa del teatro? ¿Se construye un edificio a propósito, se colocan allí enfrente centenares de asientos desde donde poder ver y escuchar, se levanta aquí la complicada trabazón del escenario para que lo que ocurra aquí sea una imagen y semejanza de lo que puede ocurrir ahí...? ¡No, no! [...] Lo que aquí dentro ocurra tiene que ser lo más diferente posible a lo que pueda ocurrir fuera. Y cuanto más diferente, más inverosímil. Y cuanto más inverosímil, más se acercará a lo que debe ser el teatro».

> Enrique Jardiel Poncela, *Obra inédita*, AHR, Barcelona, 1967, pp. 400-401.

1.2 Ramón, Jardiel y el humor como filosofía

«[Tanto para Ramón como para Jardiel el humor supone] una integración al cosmopolitismo cultural y a la Vanguardia europea del momento. Para Ramón, cultivarlo es inevitable si se quiere estar a la altura de los tiempos. El humor es la actitud más idónea ante la brevedad de la vida; ayuda a resistir, y a superar, las crisis. El humorista alcanza el rango de "profesional del vivir". El humor hace soportable el "tinglado de lo social" (constrictivo siempre) y constituye el justo medio entre la locura total, que anula al hombre, y la cordura plena, que lo adocena. [...] Entendido como lo entienden Ramón y Jardiel, el humor, sin dejar de ser caldo de cultivo del arte (al permitir la fraternidad de todas las cosas, la asociación de los elementos considerados inasociables por el sentir general y la realización de todos los absurdos), da un paso más y se convierte en una verdadera filosofía de la existencia».

> Luis López Molina, «Jardiel y Ramón», *Ínsula*, 660 (Diciembre 2001), pp. 2-6; p. 5.

1.3 Novedades del teatro de Jardiel

«Lo nuevo, el hecho diferencial básico en el teatro de humor de Jardiel Poncela con respecto al teatro cómico anterior —sainete archinesco, juguete cómico, astracán de Muñoz Seca— radica, en primer término, en la atemporalidad del conflicto de los personajes y tipos, del "escenario", superando así todo casticismo, regionalismo o populismo; en la destipificación del lenguaje, que no refleja categoría social alguna; en el encadenamiento de situaciones inverosímiles, a partir de una situación base igualmente inverosímil —el autor solía llamarla "corpúsculo originario" o "célula inicial"—, encadenamiento sometido, sin embargo, a una lógica rigurosa; en la dosificación de la comicidad del lenguaje —chiste fonético, juego de palabras, equívoco, etc.— y en la diversificación de la comicidad de situación. El humor jardielesco, como ha sido ya subrayado por otros críticos, es de raíz intelectual, y mucho más abstracto que el común en el teatro cómico anterior, siendo fundamental en él el tratamiento lógico del absurdo, no en una sola situación, sino, como acabamos de señalar, en toda una cadena sistemática de situaciones. Jardiel es, dentro del teatro español humorístico, un inventor, un innovador, que rompe [...] con la tradición del teatro figurativo y abre nuevas vías a un teatro de lo irreal puro, del absurdo lógico, cuyo mejor y más original representante es Miguel Mihura».

Francisco Ruiz Ramón, *Historia del teatro español. Siglo XX*, Cátedra, Madrid, 1992, p. 274.

1.4 El toque surrealista

«En varias comedias yo he hecho con éxito surrealismo y ejemplos son *Cuatro corazones con freno y marcha atrás* y *Un marido de ida y vuelta*. Valía la pena explicar lo cerca que está siempre el humor del surrealismo y cómo ambos son emanaciones directas de la sinrazón, por lo que le son difíciles de comprender a las gentes vulgares, a las gentes que no tienen capacidad mental y espiritual para saber huir de la realidad en un momento dado, a las gentes no preparadas para el ensueño».

Enrique Jardiel Poncela, «Lo moral y lo inmoral», en *Obras completas*, vol. II, A.H.R., Barcelona, 1973, p. 639.

2 OTROS TEXTOS

2.1 Primeras inclinaciones literarias de Jardiel

«Amén de innumerables y plurales cosas, Jardiel Poncela escribía entonces una novela corta semanal que ilustraba y publicaba él mismo con el título de "La Novela Misteriosa". Poco después escribió *El plano astral*, que publicó en folletón *La Correspondencia de España*. Hasta la aparición de la revista *Buen Humor* todo parecía indicar que el desvelado ingenio de Jardiel iba a continuar la tradición extranjera, no española, de las novelas que, para entendernos, llamamos policíacas. Así, Enrique Jardiel Poncela aún no hacía humorismo. Pretendía más bien una literatura policíaca y vagamente detectivesca».

César González-Ruano, *Mi medio siglo se confiesa a medias*, Noguer, Barcelona, 1951, p. 130.

2.2 Los criados en el teatro de Jardiel

«Hijos por adopción, [los criados] son una ampliación de la vida de sus amos; mejor, una sucursal operando en ciudades más reducidas, de menos habitantes. Vida propia íntima no tienen. Ni conflictos que resolver, ni asuntos que ventilar fuera de toda servidumbre porque alientan solo para la vida, los conflictos y los asuntos de sus señores».

Juan Bonet Gelabert, *Jardiel Poncela. El discutido indiscutible*, Biblioteca Nueva, Madrid, 1946, p. 113.

ANÁLISIS LITERARIO

1 GUÍA DE LECTURA

1.1 Acto primero

Los sucesos del primer acto de *Cuatro corazones con freno y marcha atrás* tienen lugar en Madrid en 1860. Jardiel nos sitúa en el hogar de Ricardo, cuyos habitantes adoptan un extraño comportamiento que intriga a dos personajes ajenos a la casa: Emiliano y Corujedo.

a ¿Quién es Emiliano y qué hace en casa de Ricardo? (pp. 6-7) ¿Por qué se muestra tan intrigado? (p. 7) ¿Qué le sucede cada vez que intenta que le hagan caso? (pp. 7-10)

b ¿Por qué visita Corujedo la casa de Ricardo? (p. 12)

Emiliano consigue satisfacer parte de su curiosidad gracias a Juana y Luisa, que son respectivamente la portera de la casa y el ama de llaves. Juana refiere el tipo de vida que lleva Ricardo y revela que el joven acaba de recibir una herencia, en tanto que Luisa explica que Ricardo ha recibido una carta de su amigo el doctor Bremón.

c Según Juana, ¿a qué se dedica Ricardo y qué clase de vida lleva? (p. 14) Contra todo pronóstico, ¿cómo ha reaccionado el joven al saberse heredero universal de su millonario tío? (p. 18)

d ¿A qué se dedica el doctor Bremón? (p. 20) ¿Cómo ha reaccionado Ricardo al leer su carta? (p. 21)

Jardiel convierte la carta del doctor Bremón en un eficaz motivo de intriga, pues retrasa una y otra vez la revelación de su contenido.

e ¿Qué sucede cuando Luisa, Valentina y Emiliano van a leer la carta? (pp. 22-23) Una vez conocemos su contenido, ¿qué nuevo interrogante queda en el aire? (p. 24)

Gracias a Valentina se resuelve por fin el primer misterio, el que atañe a la herencia recibida por Ricardo.

f ¿Con qué "infamia" ha castigado el tío Roberto a su sobrino? (p. 26) ¿Cuál es la finalidad de esa "infamia"? (p. 27)

Mientras todos aguardan la llegada del doctor Bremón, se presenta su prometida, que se llama Hortensia y sufre un insólito drama.

g ¿Cuál es la pena de Hortensia? (p. 31)

Finalmente, llega el doctor Bremón, quien anuncia la invención de una sustancia que ha de solucionar los problemas de Ricardo y Hortensia.

h ¿Qué ha inventado el doctor? (pp. 40-41) ¿Cómo chantajea Emiliano a Bremón para beneficiarse de su invento? (p. 43)

El acto se cierra con una feliz ocurrencia de Emiliano que garantizará un buen negocio a los protagonistas de la obra.

i ¿De qué negocio se trata? (pp. 45-46)

1.2 Acto segundo

El acto segundo nos traslada a 1920 y a una isla desierta del Pacífico, donde los protagonistas de la obra llevan una vida severamente determinada por los efectos de la fórmula del doctor Bremón.

a ¿Son felices Ricardo, Valentina, el doctor Bremón y Hortensia? ¿Y Emiliano? (p. 55) ¿Por qué decidieron los cinco personajes retirarse a una isla desierta? (p. 57)

Siguiendo su estrategia habitual, Jardiel plantea al iniciarse el acto un misterio que tardará en ser descifrado.

b ¿Qué insólito descubrimiento ha hecho Emiliano? (pp. 58-59)

Inesperadamente, los habitantes de la isla reciben la visita de unos americanos encabezados por Oliver Meighan.

c ¿Qué dos cosas viene a exigir Meighan? (p. 70)

Los cinco protagonistas deciden regresar a Europa, pero, antes de abandonar la isla, topan con un anciano de extravagante aspecto.

d ¿Quién es ese salvaje? (pp. 79-80) ¿Por qué Hortensia se horroriza al averiguar su identidad?

El acto concluye con una revelación: el doctor Bremón ha inventado una pócima que mejorará su propia vida y la de sus amigos.

e ¿Cuál es el nuevo invento del doctor? (pp. 83-84) ¿Por qué se niega Emiliano a probarlo? (p. 84) ¿Cómo soluciona ese invento el problema de Hortensia? (p. 85)

1.3 Acto tercero

El acto tercero transcurre en Madrid en 1935 e incorpora a cuatro personajes nuevos. Se trata de Elisa, Federico, Margarita y Fernando, quienes se ven abocados a una serie de situaciones absurdas por culpa de la insólita progresión vital de Ricardo y Valentina.

a Al principio de este acto tercero, ¿por qué se muestra Elisa tan alterada? (p. 92) ¿Qué se ve obligada a fingir para evitar el escándalo y la curiosidad de la gente? (p. 93) En general, ¿qué consecuencias ha tenido para Elisa el rejuvenecimiento de sus padres? (p. 94)

b ¿Por qué la juventud de Valentina representa un peligro para la felicidad de Margarita? (p. 96)

c ¿Qué fechoría de Ricardo y Valentina provoca la indignación de Federico? (p. 98)

También el doctor Bremón y Hortensia sufren problemas por el hecho de tener un corazón con marcha atrás.

d ¿Qué es lo que le hace sufrir al doctor Bremón? (pp. 101-102) Con todo, ¿qué buena noticia alivia sus penas? (p. 102)

La entrada en escena de Valentina y Ricardo genera un nuevo absurdo, lo mismo que la visita de Bienvenido Corujedo.

e ¿Qué actitud adopta Federico frente a sus padres? (p. 104) Sin embargo, ¿cómo acaba la discusión? (p. 106)

f ¿Qué sorprendente situación debe afrontar Corujedo? (p. 110) Pese a lo insólito del caso, ¿qué resolución toma? (p. 113)

Poco antes del desenlace de la obra, alcanza su clímax una subtrama dramática que Jardiel planteó al principio del acto.

g ¿Por qué discute Margarita con su marido? (p. 111) ¿Cómo reacciona Federico al conocer los sentimientos de Fernando? (p. 112) ¿Y Ricardo? (p. 115)

La acción concluye con una nueva sorpresa que lleva a la comedia a la cima de lo inverosímil.

h   ¿Qué le descubre Valentina a su familia? (p. 116) Aunque la noticia parece buena, ¿por qué está horrorizada Valentina? (p. 118) ¿A qué esperanza se aferra entonces el doctor Bremón? (p. 118)

2 PERSONAJES

Junto con el cartero Emiliano, los protagonistas de *Cuatro corazones con freno y marcha atrás* son dos parejas pertenecientes a la burguesía: Ricardo y Valentina y el doctor Bremón y Hortensia. Los cuatro representan muy bien el tipo de vida y la forma de pensar propias de su clase social.

a   ¿Qué tipo de vida llevan esos cuatro personajes? ¿Se trata de una vida productiva o más bien ociosa?

Como es típico de las comedias de Jardiel, los protagonistas de *Cuatro corazones* son **personajes excéntricos**, algo que queda de manifiesto durante sus primeras apariciones en escena.

b   ¿Qué actitudes adoptan **Valentina** y **Ricardo** la primera vez que los vemos? (pp. 22 y 34-35)

c   ¿Qué declaraciones y comportamientos de **Hortensia** le dan un sesgo ridículo al personaje? (pp. 28-32) La solemnidad con que se expresa ¿es admirable o más bien grotesca? ¿Y su afición a la poesía?

d   ¿De qué figura característica del astracán es heredero el personaje del **doctor Bremón**? Consulta la p. XXII de la Introducción. ¿Cómo describirías la actitud que adopta el personaje durante su primera aparición en escena? (p. 33)

e   En términos generales, y a juzgar por las dos parejas protagonistas, ¿dirías que Jardiel ofrece una imagen positiva o más bien satírica de la **burguesía**?

El grupo de los protagonistas se completa con **Emiliano**, un desenvuelto cartero que manifiesta una forma de pensar muy diferente a la de Ricardo, Valentina, Bremón y Hortensia.

f Comparada con la de los otros protagonistas, ¿qué tiene de singular la actitud de Emiliano frente a la inmortalidad? (pp. 51-53) ¿Dirías que su mentalidad es más simplista que la de sus compañeros? ¿Consideras que es más sensato o más alocado que los otros personajes?

En las comedias de Jardiel proliferan los **criados**, que tienen una presencia continuada en los actos primero y tercero de *Cuatro corazones con freno y marcha atrás*.

g ¿Son los criados de la comedia tal y como se describen en el texto auxiliar 2.2? ¿Qué función desempeñan en la obra?

Se ha dicho a menudo que los **personajes** de las comedias de Jardiel son **planos** y **superficiales**, y que carecen de pensamientos profundos, porque el dramaturgo se interesa mucho más por crear una trama divertida que por dibujar con precisión a los caracteres.

h ¿Crees que el reproche es acertado en el caso de *Cuatro corazones con freno y marcha atrás*? ¿Dirías que los protagonistas de esta obra son simples estereotipos? ¿Por qué? A la hora de describirlos, ¿a qué le presta Jardiel mayor atención: a su aspecto físico o a su forma de pensar?

3 TEMAS Y MOTIVOS

3.1 La inmortalidad

El tema central de *Cuatro corazones con freno y marcha atrás* es la inmortalidad, que es un anhelo perpetuo del ser humano y ha generado multitud de obras literarias. En muchas de ellas, los personajes desean ser eternos porque temen a la muerte o porque sienten un anhelo metafísico que los empuja a trascender sus propios límites.

a En cambio, ¿cuáles son las razones por las que los protagonistas de la obra desean la inmortalidad? ¿Con qué movimiento artístico entronca el tono trivial con que Jardiel aborda el tema?

Lejos de presentar la inmortalidad como una fuente inagotable de dichas, Jardiel nos muestra su cara ingrata.

b ¿Qué aspectos negativos descubren los protagonistas de *Cuatro corazones* en la inmortalidad? (pp. 56-57 y 66) ¿Cómo se sienten al saber que no han de morirse nunca?

c En general, ¿crees que el hombre sería más feliz si fuese inmortal, o piensas que disfrutamos más de la vida por el hecho mismo de saber que es efímera?

Jardiel deja claro que la perspectiva de una muerte segura condiciona nuestra concepción de la vida.

d Según el doctor Bremón, ¿cómo debemos vivir para que la muerte nos resulte aceptable? (p. 107) ¿Compartes la opinión del personaje?

3.2 El amor

El **amor** es el tema central de la mayoría de las comedias de Jardiel Poncela. En *Cuatro corazones* no tiene una importancia tan relevante como en otras obras del dramaturgo, pero algunos detalles dejan entrever la característica visión escéptica que Jardiel tenía del amor. Los personajes de la comedia se dicen con total rotundidad que su amor es para siempre.

a A juzgar por todo lo que sucede en el acto segundo, ¿crees que la perspectiva de ser inmortales aumenta o atenúa el amor que se tienen las dos parejas protagonistas? En cambio, ¿qué efecto tiene el rejuvenecimiento en la relación entre Bremón y Hortensia? (pp. 101-102)

3.3 La locura

El tema de la locura, o, por mejor decir, la neurosis, estaba muy en boga en la época de Jardiel Poncela, gracias en gran medida a la difusión de la teoría psicoanalítica de Freud. Un comediógrafo contemporáneo de Jardiel escribió: «La cabeza nos impide ser buenos, generosos y felices. Por eso, nosotros, como las cabezas no podemos suprimirlas, vamos a desquiciarlas». En la obra de Jardiel abundan los personajes desequilibrados o que bordean la locura, como sucede con Elisa en *Cuatro corazones con freno y marcha atrás.*

a Cuando Jardiel Poncela presenta a Ricardo en la acotación correspondiente, ¿qué nos sugiere acerca del estado mental del personaje? (p. 34)

b ¿A qué crees que se debe el manifiesto desequilibrio mental de Elisa? (pp. 90-94 y 115-119) ¿Es comprensible ese desequilibrio? ¿Por qué?

4 TÉCNICA Y ESTRUCTURA

4.1 La estética de lo inverosímil

Cuatro corazones con freno y marcha atrás responde a la perfección a la estética de lo inverosímil que defendía Jardiel, pues abunda en situaciones alejadas de lo cotidiano. A los pasajes delirantes de la obra se les suele aplicar de forma indistinta los calificativos de **absurdo**, que es lo que resulta incomprensible porque no se sujeta a las leyes de la razón, e **inverosímil**, que es lo que nos parece increíble porque no se ajusta a la realidad cotidiana.

a Cita episodios, situaciones o frases de *Cuatro corazones* que respondan a cada uno de los dos conceptos descritos. ¿Resulta fácil deslindarlos en esta obra?

b En opinión de Jardiel, la incorporación de lo inverosímil al teatro, ¿es un hecho necesario o más bien accesorio? Consulta el texto auxiliar 1.1.

Al teatro de Jardiel se le ha aplicado también en algunas ocasiones el adjetivo **surrealista**. El surrealismo era un movimiento que promovía la expresión de lo subsconsciente en la literatura y el arte: lo que pretendían los surrealistas era convertir en materia artística las manifestaciones de nuestra psique que escapan al control de la mente y que no obedecen a las normas de la lógica, tal y como sucede con los sueños. Consulta el texto auxiliar 1.4 y responde a las siguientes preguntas:

c Según Jardiel, ¿es *Cuatro corazones con freno y marcha atrás* una obra surrealista? En tu opinión, ¿es adecuado aplicarle el término *surrealista* a la obra? ¿Por qué?

4.2 El uso de la intriga

En la mayoría de sus obras teatrales, Jardiel echó mano del misterio y la intriga a fin de mantener en vilo a sus espectadores. En *Cuatro corazones con freno y marcha atrás* son numerosos los elementos de la trama que aportan una dosis de suspense.

a ¿Qué **misterios** relacionados con Ricardo se convierten en motivo de intriga en el acto primero? (pp. 7, 18 y 21)

b ¿Con qué misterio suscita Emiliano el interés de los espectadores al principio del acto segundo? (p. 58)

c ¿Con qué afición literaria de Jardiel estaría relacionado el uso continuado que hace de la intriga en sus comedias? Consulta el texto auxiliar 2.1.

4.3 La estructura

Cuatro corazones con freno y marcha atrás tiene la estructura característica de un drama clásico, pues la obra está dividida en tres actos que se corresponden con el **planteamiento**, el **nudo** y el **desenlace** de la trama.

a ¿Qué cambios de espacio y tiempo determinan esa división tripartita?

Los avatares del argumento y su repercusión sobre los personajes determinan la **estructura interna** de los **diferentes actos**, dotados todos ellos de un clímax dramático, o momento de máxima intensidad emotiva.

b ¿Cuál es el clímax o punto culminante de cada uno de los actos de *Cuatro corazones con freno y marcha atrás*?

Uno de los aspectos que más llaman la atención en el teatro de Jardiel es el gran **número de escenas** de que consta cada acto. Como se sabe, el cambio de escena viene determinado por las entradas y las salidas de los personajes.

c ¿De cuántas escenas consta, por ejemplo, el primer acto de la obra? ¿Qué objetivo pretende Jardiel con esa proliferación de escenas?

5 EL HUMOR

5.1 El humor verbal

Buena parte de la comicidad de *Cuatro corazones con freno y marcha atrás* se apoya en la utilización humorística del lenguaje. Abundan, por ejemplo, los juegos de palabras basados en equívocos, casi todos construidos a partir de la **polisemia**. Así sucede cuando los cinco potagonistas de la obra toman su ración del frasco de las sales y Ricardo comenta: «¡Qué frasquito más salado!» (p. 42).

a ¿En qué consiste la comicidad de esa frase?

b Localiza y comenta los juegos de palabras basados en la polisemia del verbo *cobrar*, el sustantivo *coco* y el adjetivo *ricos* en las pp. 71, 80 y 104 respectivamente.

A veces el equívoco se basa en la **homonimia**, como sucede cuando Jardiel juega con la palabra *sal* en la p. 44.

c Explica por medio de ese ejemplo en qué consiste la homonimia.

d Identifica y comenta la homonimia que encontramos en la siguiente frase de Ricardo: «Ante ese genio, ante ese genio hay… ¡Ay!… *(Se pone pálido y cierra los ojos.)*» (p. 35).

Dado que Jardiel tenía un carácter algo cáustico, es lógico que recurriese con frecuencia a la **ironía**. En *Cuatro corazones*, se vale de ese recurso para poner de manifiesto los defectos de ciertas cosas o personas. Un claro ejemplo lo tenemos cuando, tras exclamar Hortensia: «¡Dios mío qué horrible idea me ha asaltado!», Bremón apostilla: «¡Una idea! ¿Tú?» (p. 79).

e Señala los comentarios irónicos que se hacen sobre los médicos, la ópera y el matrimonio en las pp. 19, 21 y 79 respectivamente.

Jardiel utiliza en numerosas ocasiones un humor basado en el contraste o la **paradoja**. Al comenzar el segundo acto, por ejemplo, Emiliano mata al gallo porque le irrita su falta de puntualidad y justifica su comportamiento diciendo que ha querido «parar el reloj» porque «no hay manera de hacer carrera con él» (p. 51).

f ¿En qué consiste aquí la paradoja?

Algunas de las gracias verbales de *Cuatro corazones* se basan en el recurso a la **hipérbole** o exageración, figura retórica que es muy habitual en boca de Emiliano.

g   Según el cartero, ¿a qué se pueden deber los lamentos que se oyen en el cuarto de Ricardo? (p. 7) ¿Con qué exageración pone de manifiesto Emiliano los inconvenientes de las grandes ciudades? (p. 57) Al parecer del cartero, ¿cuántos tomos de poesía puede llegar a escribir Hortensia? (p. 65)

En otras ocasiones, la comicidad resulta de la **repetición** de ciertas expresiones, como sucede en la p. 10 cuando María dice: «¡Uf!... ¡Qué día!... ¡¡Qué día!!... Pero, y usted, ¿qué hace aquí todo el día?».

h   ¿Qué otras repeticiones, cargadas de comicidad, encontramos en los parlamentos de María en esa misma página? ¿Qué ejemplos de repetición detectas en la p. 69?

En otras ocasiones, el efecto humorístico se logra al interrrumpir el discurso con **digresiones**, es decir, con observaciones y comentarios que no vienen a cuento y nos desvían del tema principal de la conversación.

i   Señala cómo se utiliza ese recurso en las pp. 33-34.

El procedimiento humorístico más característico del teatro de Jardiel es el uso de **enunciados incoherentes**, que es consustancial a su estética de lo inverosímil.

j   Ejemplifica el uso de ese recurso teniendo en cuenta la conversación sobre el día de la semana que se lee en la p. 90.

Para expresar las situaciones absurdas características de sus obras, Jardiel tiene que echar mano a veces del **neologismo**, es decir, que ha de inventarse palabras que no aparecen en los diccionarios, para lo cual recurre, por ejemplo, a los prefijos.

k   Señala los neologismos que detectes en las pp. 95 y 100.

Comentario especial merecen los **poemas** compuestos por Hortensia (pp. 29-30, 33-34, 44-45 y 65), cuya **intención paródica** salta a la vista. En ellos se emplean recursos expresivos como la aliteración, la paronomasia, la anáfora y la polisíndeton, que no sirven sino para enfatizar lo ridículo, cursi y disparatado de los cuatro poemas.

I Señala los recursos expresivos mencionados en alguno de esos poemas (el primero de ellos, sobre todo). ¿Sabes qué es un ripio?

5.2 Situaciones humorísticas

El potencial humorístico de *Cuatro corazones* no deriva tan solo de un uso intencionado del lenguaje, sino también de las situaciones en que se ven involucrados los personajes. En particular, Jardiel es un consumado maestro en la creación de **situaciones absurdas**.

a ¿Qué tiene de absurda la situación que ha de afrontar Emiliano en la p. 16?

b ¿Por qué es cómica la situación en que se ven implicados Fernando y Margarita en las pp. 111-112? ¿Y la que afronta Corujedo en las pp. 112-113?

En muchos casos, la risa es provocada por los **movimientos y actitudes** de los personajes.

c Repara en las acotaciones de las pp. 7-10 y señala cuáles de los movimientos de los personajes resultan cómicos y por qué.

5.3 Novedad y trascendencia del humor en el teatro de Jardiel

Se ha insistido mucho en que el tipo de humor que Jardiel utilizó en sus comedias suponía una novedad radical en el marco del teatro de su tiempo. Así lo explica Ruiz Ramón en el texto auxiliar 1.3.

a Según este crítico, ¿cuál fue la principal novedad que aportó el humor de Jardiel?

Por lo general, se ha interpretado la opción sistemática de Jardiel por lo cómico como una simple estrategia para garantizarse la atención y la complicidad de su público. Sin embargo, también es posible darle a ese interés por el humor una interpretación más profunda, tal y como pone de manifiesto el texto auxiliar 1.2.

b Según esa lectura, ¿por qué resulta trascendente el humor?

DRAMATURGIA Y MONTAJE

1 APUNTES PARA UNA PUESTA EN ESCENA

1.1 Introducción

Antes de iniciar el proceso de montaje de un texto teatral, quien asuma la dirección ha de trabajar a fondo la obra y acumular la máxima información posible sobre el autor y su época. Este principio básico ha de servir para justificar modificaciones o "manipulaciones" del texto, con el objeto de que el texto resultante tenga coherencia y no distorsione la "ideología" o las intenciones del autor. Todo dramaturgo es consciente de que su obra será manipulada ya que el teatro es un acto de creación colectiva en la que intervienen otros "autores" además del dramaturgo.

Los aspectos decorativos (escenografía, vestuario, iluminación) son los más sujetos a modificaciones, siempre en función del director que haga el montaje. Pero también suele ser necesaria una manipulación formal del texto, bien para adaptarlo a una duración determinada, bien por exigencias de un elenco que condiciona el reparto. Es decir, que el director no ha de dejarse dominar por el texto, por las acotaciones o por las sugerencias de montaje propuestas por el autor, sino que ha de ejercitar la imaginación y recrear la obra echando mano de sus propias ideas y acomodando la puesta en escena a las posibilidades técnicas, económicas e interpretativas de que dispone. Este hecho se acentúa tanto más cuando el trabajo se realiza en un centro de enseñanza o un grupo social juvenil.

Las ideas dramatúrgicas y de montaje que a continuación se sugieren tienen en cuenta las limitaciones que conlleva hacer teatro en los centros de enseñanza, partiendo siempre de la idea de que toda obra es realizable si previamente hacemos una revisión profunda de la propuesta del autor y la adecuamos a nuestras necesidades.

1.2 Tratamiento del texto

Para montarla en un centro de enseñanza, *Cuatro corazones con freno y marcha atrás* es una obra excesivamente larga, sobre todo si tenemos en cuenta que no contaremos con demasiado tiempo para los ensayos, así que se hace imprescindible **acortar el texto**. Los monólogos y los parlamentos largos son los pasajes más susceptibles de ser eliminados o recortados, lo que dará agilidad al montaje al potenciar los diálogos de frases cortas. Por ejemplo, en el primer acto puede suprimirse la introducción de Emiliano e imprimir a la primera escena (antes de la aparición de Corujedo) un ritmo frenético con fondo musical de charlestón o algo parecido. Por supuesto, al resumir y recortar los diálogos hay que velar por que la exclusión de frases no perjudique el contenido global o la coherencia del discurso.

Otros **retoques del texto** se harían necesarios para acercar la obra a nuestra época. Jardiel situó la trama de *Cuatro corazones* en tres épocas distintas: 1860, 1920 y 1935. La fecha del último acto se corresponde con la propia época del autor, hecho que servía para potenciar el contraste de los personajes de antaño con la época en que vivían los espectadores. Si el autor hubiera vivido en nuestra época, sin duda habría situado el tercer acto en la actualidad, y eso es lo que conviene que hagamos nosotros. En consecuencia, tendremos que eliminar, por ejemplo, el diálogo sobre el telégrafo y el teléfono que mantienen Corujedo y Emiliano en la p. 13, que resultaría anacrónico en una obra situada en nuestra época.

Por último, cabe la posibilidad de suprimir personajes; es el caso de Oliver Meighan, a mi entender poco sustancial, con lo que recortaríamos considerablemente el texto.

1.3 Una propuesta de montaje

Tras adaptar el texto, debemos configurar el espacio escénico teniendo en cuenta las condiciones del centro en que vayamos a representar la obra. Aunque *Cuatro corazones* está concebida para un espacio a la italiana, ello no tiene por qué condicionarnos. Una buena opción sería, por ejemplo, concebir un **espacio semi-circular** donde la **escenografía** venga determinada por:

a) el **suelo**:

- Primer acto: suelo de losa modernista
- Segundo acto: suelo de arena
- Tercer acto: suelo liso moderno

b) sus complementos, **las sillas**:

- Primer acto: sillas de época
- Segundo acto: cajas y troncos
- Tercer acto: sillas de diseño

c) y como fondo, **foros de tres colores**:

- Primer acto: rojos aterciopelados
- Segundo acto: azul de mar y horizonte
- Tercer acto: grises urbanos

La disposición semi-circular conlleva una integración del espectador con la trama debido a su proximidad con la acción. Este aliciente rompe con el distanciamiento que provoca el teatro a la italiana y posibilita a la vez un diseño de **iluminación** más simple e imaginativo: foco de iluminación trasera para los foros; iluminación con lámparas de mobiliario; iluminación de esquinas (cuatro focos cruzados); etc. La proximidad actor-espectador produce efectos beneficiosos y el espectáculo resulta más fresco y espontáneo.

Las entradas y salidas pueden efectuarse de entre el público e incluso, en algunos momentos, es posible integrar a los espectadores como obstáculos que los actores deben salvar para acceder al escenario.

El cambio de época sugerido anteriormente facilita **el vestuario**, más próximo a nosotros y más asequible:

- Primer acto: 1920
- Segundo acto: 1975 (el vestuario puede hacerse con prendas hippies)
- Tercer acto: 2000 (hijos mayores de talante conservador, padres jóvenes rockers, nietos yuppies)

1.4 Estructura del trabajo

Antes de iniciar el reparto de papeles e incluso antes de entregar el texto a los actores, conviene presentarles el argumento como si de un cuento se tratase. A partir del cuento iniciaremos **ejercicios de improvisación** basados en las anécdotas que sugiere la obra. Por ejemplo:

- Diálogos caóticos
- Descubrimiento de las sales de la inmortalidad
- Escenas de aburrimiento
- Conflictos generacionales
- Etc.

Este trabajo servirá para que los actores se familiaricen con las situaciones de la obra y para facilitarles recursos de interpretación.

En el proceso de **memorización del texto**, podemos facilitar el trabajo si planificamos los ensayos; esto requerirá dividir o subdividir el texto en escenas y, si conviene, no respetar el orden cronológico a la hora de los ensayos.

Otro aspecto que suele comportar dificultades es el exceso de protagonismo de algunos personajes, lo que conlleva la falta de participación de buena parte de los actores cuando montamos algunas escenas. Una de las maneras de evitar este problema es procurar que los actores secundarios no abandonen nunca la escena o que se mantengan integrados en ella como espectadores de primera fila.

Lo que verdaderamente importa a la hora de estructurar el trabajo es crear una dinámica que permita a los actores disfrutar de la experiencia teatral. No obstante, existe, en todo proceso creativo, una fase de fijación del trabajo que puede considerarse aburrida. Esa fase es inevitable, aunque resultará más llevadera si reservamos algunas ideas de montaje que puedan incentivar el ejercicio interpretativo. Estas pequeñas incorporaciones han de estar plenamente justificadas, pues de lo contrario producirían inseguridad en el actor.

1.5 Sugerencias adicionales

Respecto al **primer acto**: a) Desde su inicio hasta la entrada de Valentina (p. 22) basaremos el montaje en un ejercicio de entradas y salidas de personajes repitiendo al unísono frases diversas e intercalaremos pequeñas intervenciones que sirvan para desarrollar el argumento. En estas inserciones todos los actores, a excepción del que habla, quedarán paralizados; b) Hasta el final, desarrollo convencional con vaciado de texto.

Respecto al **segundo acto**: a) Como se trata de un acto con poca acción y muy discursivo, conviene recortar el texto al máximo y quedarse con lo esencial; b) Suprimir el personaje de Oliver Meighan y ajustar los diálogos.

Respecto al **tercer acto**: a) Suprimir todo texto explicativo. Se podría iniciar el acto con la entrada de Federico (p. 96); b) Reinventar el final dado que la propuesta de Jardiel Poncela es abierta.

1.6 Conclusiones

Todas estas sugerencias persiguen esencialmente romper con el molde fijado por el autor y crear uno nuevo que se adapte mejor a las circunstancias y necesidades del montaje. A partir de este nuevo marco podremos incorporar ideas originales que estimulen la participación y el goce de la experiencia teatral. Disfrutar haciendo teatro: eso es lo esencial. La recuperación académica de un texto de Jardiel Poncela no basta. Hay que imaginar al autor en nuestra época y conseguir que su obra impacte al espectador de hoy de la misma manera que impactó a quienes asistieron al estreno en 1936.

Aula de Literatura

CLÁSICOS ADAPTADOS